대한민국
최고의 명의가
들려주는

유방암

SNUH
서울대학교병원
Health+2

대한민국 최고의 명의가 들려주는

유방암

초판 1쇄 발행 2013년 9월 5일
초판 6쇄 발행 2022년 8월 16일

지은이 노동영, 한원식, 문형곤

펴낸곳 서울대학교출판문화원
주소 (08826) 서울 관악구 관악로 1
도서주문 02-889-4424, 02-880-7995
홈페이지 www.snupress.com
페이스북 @snupress1947
인스타그램 @snupress
이메일 snubook@snu.ac.kr
출판등록 제15-3호

ISBN 978-89-521-1501-0 04510
978-89-52 1-1498-3 (세트)

SNUH 서울대학교병원
Health+2

대한민국
최고의 명의가
들려주는

유방암

노동영, 한원식, 문형곤

서울대학교출판문화원

발 간 사

첨단 지식정보화 사회에 들어 눈부신 의학발전에도 불구하고 여전히 병마와 싸우는 수많은 환자들이 있기에 우리는 한시라도 마음이 편할 수가 없습니다.

금번 서울대학교병원 Health⁺ 시리즈는 정보의 홍수시대에 근거가 빈약한 의학정보가 무분별하게 난무하는 상황에서 의학적 근거와 기준을 제시하며 표준화된 건강정보를 제공하고자 총 7권으로 발간되었습니다.

특히, 이 책은 대한민국 암 발생률 1위인 위암을 시작으로 유방암, 간암, 췌장암 등 다양한 암 질환과 각종 질병까지 의료진이 오랜 기간 걸쳐 축적해 온 경험과 의학지식을 알기 쉽게 풀어가고 있습니다. 또한 각 질환별로 증상, 진단, 치료, 재활, 건강관리 등 환자들이 궁금해 하는 점을 중심으로 일반인들도 이해하기 쉽게 구성되어 있습니다.

무엇보다 본 시리즈를 통해 서울대학교병원 최고 명의들이 건강과 질병에 대한 전문적 지식을 국민들과 함께 공유함으로써, 국가중앙병원으로서 국민건강관리의 올바른 방향을 제시하고 평생건강을 계획하고 관리하게 된 것은 정말 소중한 일이 아닐 수 없습니다.

이 책의 발간에 수고를 아끼지 않은 원고 집필 교수진과 서울대학교출판문화원 편집진에게 감사를 드리며, 이번 Health⁺ 시리즈 발간이 우리 모두의 건강한 미래를 밝히는 소중한 길잡이로서 국민 모두가 더욱 건강하고 행복한 삶을 영위해 나가는 뜻깊은 계기가 되기를 기대합니다.

2013년 8월 25일

서울대학교병원장 오 병 희

이 책을 펴내며

유방암은 2018년 이후 한국 여성에게 가장 흔한 암이 되었고, 그 증가 추세는 당분간 계속될 것으로 생각된다. 다른 암과 마찬가지로 유방암 또한 유방을 넘어 전신을 침범하고 생명을 위협할 수 있는 질병이므로 유방암을 조기에 발견하는 것이 최선의 치료가 될 것이다.

특히 지속적으로 새로운 치료법이 개발됨에 따라 생존율이 향상되고 삶의 질이 높아짐을 볼 때, 나이와 위험도에 따른 정기 검진으로 조기에 발견하고 건강한 생활 습관을 통해 유방암을 예방하는 것은 두말할 나위 없이 중요할 것이다.

이 책은 우선적으로 유방암 환우 및 가족들에게 유방암에 대한 올바른 정보를 제공하고자 집필되었다. 유방암에 대한 이해를 높이기 위한 유방의 해부학적 구조와 기능, 유방암의 종류, 위험 요인, 증상과 함께 진단과 치료, 예후를 포함하여 실제 환자의 수기를 담아 유방암 환자들 및 가족들에게 실질적으로 도움이 되는 내용을 담았다.

집필진은 의료 정보의 홍수 속에 살고 있는 한국 여성들에게

이 책이 유방 질환, 특히 유방암에 대한 올바른 가이드 역할을 해주길 기대한다. 유방암을 진단받은 환자들에게 유방암에 대한 올바른 지식을 제공함으로써 이후 치료 과정에 대한 이해를 더 잘하고 재발에 대한 불필요한 걱정 대신 올바르고 건강한 생활 습관을 유지할 수 있도록 참고서가 되기를 바라며, 더불어 한국 여성의 유방암을 조기에 발견하고 예방될 수 있도록 하는 전도사가 되기를 기대한다.

노동영

차례

01

여성을 위협하는 유방암 발생률

과거에는 우리나라 여성의 유방암 발생 빈도가 그리 높지 않았다. 그러나 생활 방식이 점차 서구화되면서 발생 빈도가 증가하더니 2018년 이후에는 여성 암 가운데 발생률 1위를 차지한다.

유방은 여성에게 상당한 의미가 있다. 외형적인 측면에서 여성을 남성과 구분해 주는 가장 특징적인 신체 부위임과 동시에 여성의 미적 상징이며, 여성만이 느낄 수 있는 모성의 상징이기 때문이다. 따라서 유방에 이상이 생기면 여성은 신체적 타격뿐만 아니라 심한 정신적 충격을 받는다. 그런 의미에서 유방암은 건강을 위협하는 질병이면서 여성에게 여성이라는 정체성까지 뒤흔드는 위력이 있는 질병이다.

유방암은 과거에는 우리나라 여성에게 그리 흔한 질병이 아니었다. 그러나 생활 방식이 점차 서구화되면서 발생 빈도가 점차 증가하여 한국중앙암등록본부에 따르면 1999년에 5,703명이던 여성 유방암 발생 건수가 2019년에는 24,820명으로 늘어나 20년 새 약 4.3배 증가하였으며, 이러한 유방암 발생 빈도의 증가 추세는 앞으로도 당분간 계속될 것으로 예상한다.

우리나라 여성에게 가장 흔한 암은 유방암(20.6%)이며, 그 뒤를 이어 갑상샘암(19.2%), 대장암(9.9%), 위암(8.1%), 폐암(8.0%), 간암(3.4%), 췌장암(3.3%) 등의 순이다.

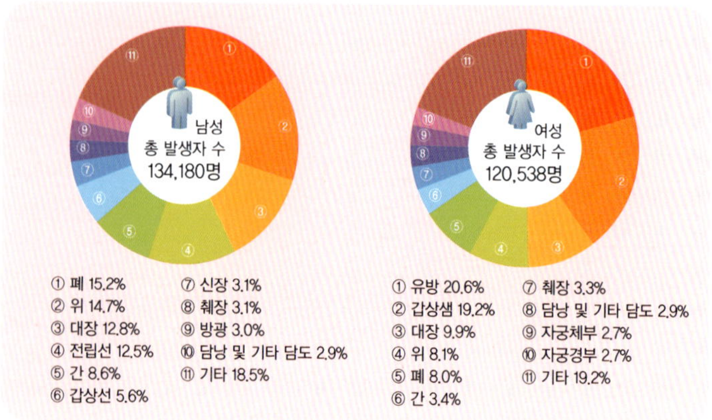

그림 1. 남녀별 10대 암 발생률 (한국중앙암등록본부 국가 암등록 통계, 2019)

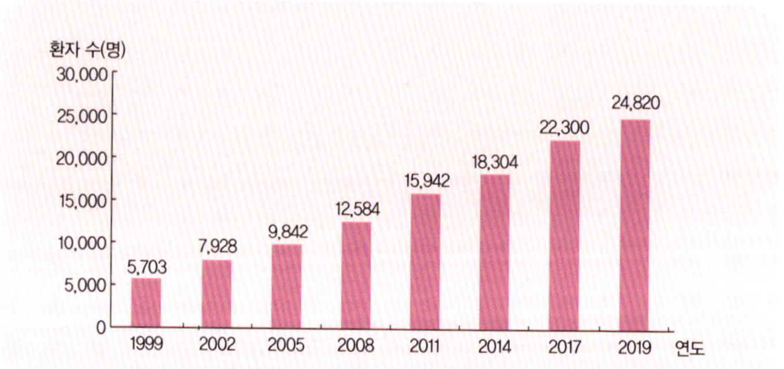

그림 2. 국내 여성 유방암의 연도별 발병 추이 (한국중앙암등록본부, 2019)

Hospital Memo

나이에 따라 다른 유방암 발생 빈도

한국중앙암등록본부 보고에서 2019년 발생한 여성 유방암 환자들의 연령별 분포를 보면 40대가 7,714명으로 가장 많으며 그 뒤가 50대로 7,749명이었고, 이후 60대, 70대, 30대 순서로 발병 빈도를 보였다. 폐경 후 환자가 대다수인 서유럽에 비해 한국은 40대 젊은 환자의 발생률이 높은 것이 특징이지만, 연령대별 증가 양상을 보면 60, 70대 연령대 환자도 빠르게 증가하는 등 유럽과 미국 여성과 같은 형태로 변화하고 있다. 하지만 이는 좀 더 시간을 두고 추이를 살펴보아야 할 것이다.

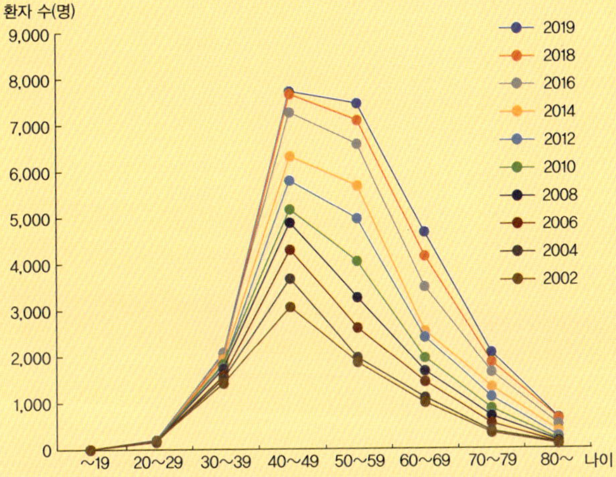

그림 3. 연도별 연령별 여성 유방암 환자 수 (한국중앙암등록본부, 2019)

02

유방의 구조와 기능을 알아보자

유방의 내부는 크게 실질 조직과 이를 지지하는 간질 조직으로 나눈다. 모유를 생산하는 가장 작은 단위인 20~30개의 소엽들이 유방의 실질 조직에서 각기 유관을 만들고 이들이 모여 유두에서 개구한다.

유방은 여성의 특징적인 신체 부분으로 여성만의 아름다움을 상징하는 미적 기관이면서도 유아에게 모유를 제공하는 역할을 수행한다. 여성의 유방은 예로부터 여성의 상징임과 동시에 모성의 상징으로 여겨 왔다. 유방은 여성마다 모양과 크기가 다르며, 사춘기 이전과 사춘기, 임신기, 수유기, 폐경기 등 시기별로도 모양과 크기가 변하며 기능도 변화한다. 또한 월경 주기에 따라 유방의 내부 구조와 기능도 여성 호르몬의 변화에 따른 영향을 받아 변화를 보인다.

외형적으로는 유두(젖꼭지)와 유륜(유두 주위의 검은 피부), 그리고 이들을 제외한 나머지 부위의 피부로 이루어져 있다. 참고로 우리가 일반적으로 젖이라 부르는 모유는 유두에 있는 15~20개의 작은 구멍을 통해 분비된다.

한편, 겉으로 보이지 않는 유방의 내부는 크게 실질 조직과 이를 지지하는 간질 조직으로 나누어진다. 실질 조직은 모유를 생산하고 분비시키는 조직으로 소엽, 유관, 집합관 등으로 이루어진다. 모유를 생산하는 가장 작은 단위인 20~30개의 소엽들이 유방의 실질 조직에서 각기 유관을 만들고, 이 유관들이 서로 모여 좀 더 큰 15~20개의 집합관을 이루면서 유두에서 개구한다.

반면 간질 조직은 유방의 형태를 유지하며, 기타 다양한 기능과 관련된 조직으로 지방 조직, 결체 조직, 혈관, 신경, 림프관 등으로 구성되어 있다. 이 중 지방 조직과 결체 조직의 양이 유방의 부피를 결정하는 중요한 요소이다. 또한 유방을 위쪽으로 지탱해 주는 역할을 하는 것 역시 결체 조직의 일부인 '쿠퍼씨 인대'로, 나이가 들면 쿠퍼씨 인대가 늘어나 유방이 아래로 처진다.

유방 아래에는 대흉근이라는 근육이 있고, 이 근육 아래에는 늑골과 늑골 사이 근육으로 이루어진 흉벽이 있다. 또한 유방과 겨드랑이 사이에는 많은 근육과 신경, 혈관 등이 분포하고 있으며 유방에서 배액되는 20~40여 개의 림프절 역시 유방과 겨드랑이 주위에 포진해 있다. 이 같은 림프절은 유방의 변화와 밀접한 관계가 있어, 림프절의 변화로 생기는 멍울을 관찰하여 유방 내의 염증이나 외상, 암이 발생했는지를 추정한다.

Hospital Memo

유방의 구조와 기능

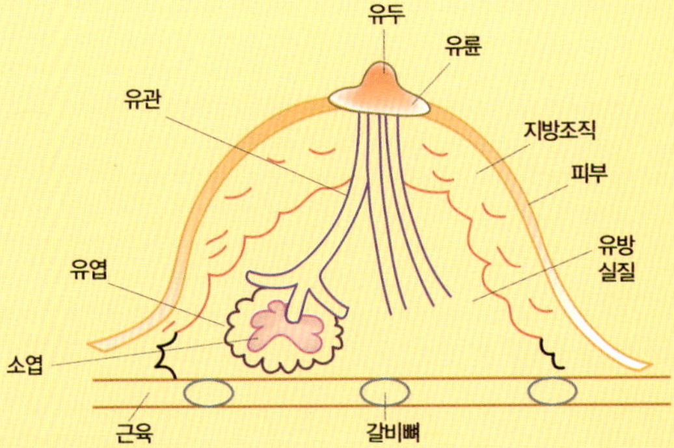

그림 4. 유방의 구조

유두(젖꼭지)

양쪽 유방의 중앙부에 있으며 모유가 나오는 곳이다. 유두에는 약 15~20개의 유관 구멍이 있어 이곳으로 유아가 젖을 빨아먹는다. 이러한 유두에는 땀샘이 존재한다. 따라서 청결하지 않으면 배꼽과 마찬가지로 곱이 끼고 냄새가 날 수 있다. 특히 함몰 유두는 청결에 문제가 발생하고 냄새 등이 날 가능성이 클 뿐 아니라, 수유에도 장애가 있으므로 심한 함몰 유두라면 적절한 치료를 받아야 한다.

Hospital Memo

유륜(젖꽃판)

유두를 둘러싼 원형의 짙은 색 피부를 유륜 또는 젖꽃판이라고 한다. 개인 피부색에 따라 색에 차이가 나는데 보통 피부가 밝은 색이면 분홍색을 띠며, 어두운 피부라면 짙은 색을 띤다. 크기와 넓이도 개인에 따라 다른데 지름이 작게는 1.5cm 정도, 크게는 6cm에 이른다.
땀샘과 몽고메리샘이 있으며 털이 자라기도 한다.

유관(젖관)

한 층의 세포로 이루어진 관 모양의 구조물로, 유선에서 만들어지는 모유를 유두로 운반한다. 약 2mm 정도의 아주 미세한 관이지만 유두 바로 밑에서는 유관들이 서로 모여 집합관을 이루면서 5~8mm 정도로 넓어진다.
유방암은 유관에서부터 발생하는 경우가 많다.

유선(젖샘)

유선은 한쪽 유방에 20~30개씩 있으며, 유방 전체에 퍼져 있다. 임신이나 수유 중 모유를 생산하며, 유관을 통해 유두로 연결된다. 이러한 유선 조직은 젖을 생산하는 꽈리샘과 생산된 젖이 분비되는 유관으로 이루어져 있는데, 젖샘꽈리가 수십 개에서 백 개 정도 모여 중간 단위의 소엽을 이루고, 다시 이들 소엽이 모여 약 20~30개의 대단위 유선을 이룬다.

그림 5. 정상 유방의 외적 모형

03

발생 부위에 따라 알아보는 유방암

유방암은 유관과 소엽에서 주로 발생하고, 유관과 소엽에서 발생한 암은 침윤 정도에 따라 나눌 수 있으므로 대표적인 유방암 종류는 크게 침윤성 유관암, 침윤성 소엽암, 비침윤성 유관암, 비침윤성 소엽암의 네 종류이며, 나머지는 파제트병과 기타 암으로 분류한다.

유방에 생기는 암을 통칭하여 유방암이라 부르지만 발생 부위에 따라 유관과 소엽 등의 실질 조직에서 생기는 암과 그 외 간질 조직에서 생기는 암으로 구분할 수 있다.

거의 대부분의 유방암은 유방의 실질 조직인 유관과 소엽에서 발생한다. 특히 유관에서 발생한 암이 절대적으로 많다.

유관과 소엽에서 발생한 암은 다시 암세포의 침윤 정도에 따라 '비침윤성' 유방암과 '침윤성' 유방암으로 구분한다. 이 중 비침윤성 유방암이란 상피내암으로 유관이나 소엽에서 발생한 암이 그 자리에서 벗어나지 않은 상태의 암으로 초기 상태의 암이며 치료하면 결과가 매우 좋다.

반면 침윤성 유방암이란 유관과 소엽에서 발생한 암이 발생 구역을 벗어나 주변 유방 조직으로 침범한 경우로 비침윤성 유방암보다 진행된 상태라 할 수 있다. 대부분의 유방암은 침윤성 암이다.

이를 정리해 보면 유방암은 유관과 소엽에서 주로 발생하고, 유관과 소엽에서 발생한 암은 침윤 정도에 따라 나눌 수 있으며 대표적인 유방암의 종류는 크게 침윤성 유관암, 침윤성 소엽암, 비침윤성 유관암, 비침윤성 소엽암으로 나눈다.

이 네 가지 암 외의 유방암으로 드물게 파제트병이 있으며, 나머지는 기타 암으로 구분한다. 또한 유관과 소엽에서 발생한 침윤성 유방암 외의 침윤성 유방암으로 점액성 악종, 수질성 악종, 유두상 악종, 관상 악종, 분비성 악종, 아포크린 악종, 화생성 악종, 선양낭성 악종 등이 있다.

침윤성 유관암

유방의 실질 조직 중 유관에서 생긴 암이 유관을 벗어나 주변 조직을 침범한 암으로, 전체 유방암의 75~85%를 차지하며 가장 대표적인 유방암이다.

침윤성 소엽암

유방의 실질 조직 중 소엽에서 발생한 암으로 주변 조직을 침윤한 경우로 전체 유방암의 약 5~10%를 차지한다. 치료 후 예후는 침윤성 유관암과 비슷하지만 다발성 및 양측성의 빈도가 침윤성 유관암보다 높다.

유관 상피내암(비침윤성 유관암)

유방의 실질 조직인 유관에서 발생한 암으로 유관을 벗어나 주변 조직을 침윤하지 않은 비침윤성 유방암이다. 침윤성 유방암보다 예후가 매우 좋아 0기암이라고도 한다. 그러나 늦게 발견하면 침윤성 유관암으로 진행할 가능성이 있다.

파제트병

파제트라는 의사에 의해 보고되어 파제트병이라는 이름이 붙여졌다. 유두 및 유륜의 피부에 주로 발생하는 특이한 형태의 유방암으로 보기 드문 암이다.

기타 암

기타 유방암으로는 유방의 간질 조직에서 발생하는 암이 있다. 이는 간질 조직을 구성하고 있는 지방 조직, 결체 조직, 혈관, 신경, 림프관 등의 세포에서 발생하는 암으로 매우 드물게 나타난다. 엽상종양, 육종 등이 여기에 포함된다.

Hospital Memo

남성의 여성형 유방

남성들은 보통 겉으로 볼 때 유방이라고 부를 만한 것이 없다. 그리하여 밋밋하다고 표현할 정도로 남성들의 가슴은 맨가슴이다. 그러나 남성도 유선 조직이 있어 유선 조직의 증식이 나타날 수 있다. 임상적으로 만져지거나 눈으로 볼 때 유방이 커져 보이면서, 유두 아래에 직경 2㎝ 이상 유방 조직이 증식되어 있다면 여성형 유방이라고 한다. 이러한 남성의 여성형 유방은 남성 호르몬과 여성 호르몬 사이의 일정한 균형이 깨져, 여성 호르몬의 작용이 상대적으로 강해져 나타나는 현상이다.

남성의 여성형 유방은 생리적인 원인일 수도 있고 병적인 원인일 수도 있다. 병적인 원인 없이 나타나는 여성형 유방은 대부분 일시적인 현상으로 시간이 지나면 자연히 정상으로 돌아오기 때문에 치료나 관리를 할 필요가 없다.

대체로 생리적인 원인으로 인한 여성형 유방의 현상은 영아기나 사춘기, 노년기에 발생한다.

병적인 원인은 종양이나 대사성 질환, 성선 기능 저하증이 있는 경우 여성형 유방이 발생할 수 있다. 좀 더 구체적으로는 고환이나 부신에 생긴 암, 간암, 뇌하수체 종양, 폐암, 췌장암, 위암, 신장암, 간경화증, 신부전, 혈액투석, 갑상샘 기능 항진증, 바이러스 감염, 염색체 이상, 고환 저류, 고환의 외상 등이 있으면 여성형 유방이 나타날 수 있다. 또한 니페디핀, 시메티딘 등의 특정한 약 때문에 여성형 유방이 나타나기도 한다.

이처럼 병적인 원인으로 여성형 유방이 되었다면 원인이 되는 질병을 치료하는 것이 매우 중요하다. 특정 약물로 생긴 경우라면 의사와 상담하여 약을 중단하거나 같은 효능을 가진 다른 약제로 교체하여야 한다.

참고로 '가성 여성형 유방'이라 하여 유방 조직이 증식되어 유방이 커진 것이 아니라 비만으로 지방이 축적되어 유방이 커진 것처럼 보이는 경우도 있으며, 드물지만 지방종이나 유피낭 등의 질환으로 남성의 유방이 커져 보일 때도 있다.

또한 남성의 유방이 커졌다면 드물지만 유방암일 수도 있으므로 유방암 검사를 받아볼 필요가 있다.

04

유방암 발생을 높이는 위험 요인들

지금까지 알려진 유방암 위험 인자로는 유방암 가족력, 유방암 과거력, 출산력, 식생활 습관, 호르몬 제제 사용, 방사선 노출 등이 있으며 이들이 복합적으로 작용하여 유방암이 발생한다.

안타까운 일이지만 유방암의 원인은 아직 정확하게 파악되지 않았다. 때문에 어떤 사람이 유방암에 걸릴 확률이 높고 어떻게 하면 유방암을 피할 수 있다고 확실하게 말하기가 어렵다. 다만 유방암 환자와 아닌 사람을 비교하였을 때 나타난 차이점을 연구한 결과 유방암을 발생시키는 요인들을 파악할 수 있었다. 이러한 위험 요인들이 복합적으로 작용하여 유방암이 발생한다고 여겨지게 되었다.

지금까지 알려진 유방암이 발생할 수 있는 위험 인자로는 유방암의 가족력, 유방암의 과거력, 출산력, 식생활 습관, 호르몬 제제의 사용, 방사선 노출 등 다양하다. 이를 구체적으로 살펴보면 다음과 같다.

유방암을 일으키는 위험 요인

여성에게 나타난다

남성도 드물게 유방암에 걸릴 수 있지만 일반적으로 여성이 유방암에 걸릴 확률이 남성보다 100배나 높으므로 여성이라는 성별 자체가 유방암 발생의 위험 요인이다.

나이에 따라 좌우된다

일반적으로 유방암은 나이가 적은 사람보다는 나이가 많은 사람에게 많이 발생한다. 따라서 나이도 중요한 유방암 발생의 위험 인자이며, 우리나라는 전체 연령대 중 40대가 유방암 환자들이 가장 많다. 참고로 서유럽은 60대와 70대 유방암 환자가 가장 많다.

가족력이 있으면 위험하다

유방암 발생의 위험 요인 중 유전적 요인에 속하는 유방암 가족력은 확실히 유방암 발생 위험을 높인다. 직계나 2대에 걸쳐 부모나 친척 중에 유방암에 걸렸던 사람이 있으면 유방암 가족력이 있는 것으로 본다. 어머니나 자매가 유방암에 걸렸다면 유방암 발생 위험도는 1.5~3.0배로 상승한다.

어머니나 여자 형제 또는 딸 중에서 한 명이 폐경기 전에 유방암에 걸렸다면 자신에게도 유방암이 발생할 확률이 더욱 높아진다. 그리고 폐경 전에 유방암이 발생한 사람이 어머니나 여자 형제 중에서 두 명 이상이라면 유방암 발생의 위험은 2~4배로 더욱 높아진다. 또한 그 가족력이 양쪽 유방 모두에 암이 생긴 경우라면 발생 위험이 제일 높다. 참고로 미국 통계에 따르면 유방암 환자의 약 70%에서 가족력이 있는 것으로 나타났다.

따라서 가족력이 있는 사람이라면 더욱 각별히 유방암 관리에 힘써야 한다. 그중에서도 직계가족 중에서 세 명 이상 유방암이 발생하였다면 유전성 유방암이 발생할 가능성이 있으므로 특별한 관리와 함께 유전자 검사를 하는 것이 좋다.

유전성 유방암이란 BRCA 및 기타 유전자 이상에 의한 유방암을 말한다. 유전성 유방암은 비교적 젊은 나이에 발생하는 특징이 있으며, 상염색체 유전을 하는데 유전성 유방암 환자의 자녀 중 약 50%에서 유방암이 발생한다. 전체 유방암 중에서는 약 5%가 유전성 유방암인 것으로 나타났다.

과거에 유방암을 앓은 적이 있는가?

과거에 유방암이 발생한 적이 있는 것을 유방암의 과거력이라 말하는데, 한 쪽 유방에 암이 생겼던 사람은 반대쪽 유방에도 암이 발생할 확률이 일반 여성이 유방암에 걸릴 확률의

3~5배에 이른다고 추산한다.

물론 유방암 수술 뒤에 위험 요인에 노출된 기간과 환자가 어떤 보조 치료를 받았는지에 따라 달라진다. 한 쪽 유방암 수술 후 항호르몬 요법(타목시펜), 항암 화학요법을 시행받았던 환자들은 반대측 유방암의 발생 위험도가 감소한다는 연구 결과가 있다.

그러나 일단 한 번 유방암이 발생한 사람은 다시 유방암이 발생할 위험이 일반인에 비해서는 높은 만큼 정기적인 추적 검사를 하는 것이 매우 중요하다.

비침윤성 유방암 진단을 받았을 때

유관 상피내암과 소엽 상피내암과 같은 비침윤성 유방암으로 진단을 받은 환자는 침윤성 유방암이 발생할 위험이 높다.

비정형 소견이 있는 양성 유방 질환이 있는 환자

유방에는 암 이외에도 여러 가지 종양이 발생할 수 있다. 이러한 암이 아닌 종양을 양성 종양이라고 하는데 양성 종양 가운데 비정형적 소견이 있는 종양은 암으로 변할 가능성이 높다. 따라서 비정형 소견이 있는 양성 유방 질환을 가진 환자는 유방암에 걸릴 위험이 많다.

이른 초경과 늦은 폐경

유방의 실질 조직을 구성하는 세포들은 1차적으로 여성 호르몬인 '에스트로겐'의 자극으로 증식하고 분화를 한다. 유방 세포의 증식 자체가 DNA가 손상된 변형 세포의 수를 증가시켜 암을 유발할 수 있는 것으로 알려졌다.

따라서 초경을 일찍 한 경우와 폐경이 늦은 경우, 초경이 늦은 사람이나 폐경이 빠른 사람보다 일생 동안 에스트로겐에 노출되는 기간이 길어 유방암의 발생 위험이 높아진다. 즉, 여성이 일생 동안 월경을 하는 기간이 길수록 유방암의 위험도가 높아진다.

출산력과 첫 출산 연령

출산력과 첫 출산 시 연령도 호르몬과 관련한 위험 인자로, 아이를 낳은 경험이 없는 여성은 아이를 낳은 경험이 있는 여성에 비해 유방암 발생 가능성이 1.4배 더 높다. 만삭 분만으로 출생한 자식이 많으면 많을수록 유방암 발생률이 감소하는 경향이 있다.

일부에서는 모유 수유를 하면 수유가 유방암 발생률을 떨어뜨린다고 주장하는 반면, 일부에서는 이를 인정하지 않아 다소 논란이 일고 있다. 우리나라에서 만삭 분만의 경험이 있는 폐경기 이후 여성들을 연구했더니 모유를 수유한 자식의 수가 많으면 많을수록, 또한 만삭 분만으로 출산한 아이를 모유로 수유한 기간이 길면 길수록 유방암 발생률이 감소한다는 결과가 나왔다.

방사선치료 경험이 있는가

흉부에 방사선치료를 받은 경험이 있다면 유방암이 발생할 위험이 증가할 수 있다.

비만의 여부

비만도 유방암의 위험 요인 중 하나다. 특히 폐경 후의 여성은 비만할수록 유방암 발생 위험이 높다. 반면 규칙적인 운동으로 체중이 감소하였다면 유방암의 발생 위험도 낮아진다.

피임약의 사용 여부

경구 피임제를 8년 이상 오랜 기간 사용하면 유방암의 발생 위험이 약 1.7배 상승하며, 10년 동안 사용하면 약 4.1배 상승한다는 보고가 여럿 있었다.

그러나 경구 피임제의 사용 기간과 유방암이 발생하는 시기에 대하여는 아직 뚜렷이 밝혀지지 않았으며, 최근 젊은 여성들이 많이 사용하는 저용량 경구 피임제의 유방암 위험도에 대한 결과는 불분명하다.

일반적으로 최근에 사용하는 경구 피임제는 단기간 복용한다고 해서 체내 호르몬 농도가 크게 변화하지 않기 때문에 경구 피임제가 유방암의 발생 위험에 큰 영향을 주지는 않는 것으로 보인다. 단, 장기간 경구 피임제를 복용하는 것은 유방암의 발생 위험을 약간 상승시킬 수 있다. 하지만 10년 이상 피임약을 중단하면 유방암 발생 위험이 증가하지 않는다.

호르몬 대체 요법

폐경기 여성이 골다공증 등 폐경으로 인한 증상 완화 목적으로 사용하는 호르몬 대체 요법은 유방암의 발생 위험도를 매년 평균 3.1%씩 증가시킨다. 10년 동안 호르몬 대체 요법을 받은 여성은 일반인에 비해 유방암의 위험도가 1.36배 증가하는 것으로 보고된 바 있다.

따라서 호르몬 대체 요법은 전문의와 상의하여 폐경으로 인한 증상의 완화와 유방암 발생 위험의 이해득실을 따진 뒤 시행해야 하며, 호르몬 대체 요법을 시행하면 규칙적인 유방 자가 검진과 정기검진이 필요하다.

식습관

유방암이 우리나라에서 증가하는 여러 이유 중에 식습관의 서구화가 가장 설득력 있다. 생활 수준이 향상되면서 옛날에 비해 동물성 지방과 육류의 섭취가 급격히 증가하였는데 이들 식품을 지나치게 많이 섭취하면 유방암 발병률이 높아진다.

음주와 흡연

매일 한두 잔의 알코올을 섭취하는 여성에게 유방암 발생 확률이 약간 증가한다는 보고가 있다. 특히 30세 미만의 여성들이 관련성이 가장 많으며 과도한 음주는 간의 혈중 에스트로겐 농도를 조절하는 능력을 떨어뜨린다.

흡연은 아직 논란이 많기는 하지만 흡연하는 여성이 비흡연 여성보다 유방암 발생 확률이 높다는 보고가 있으며, 흡연 시작 연령이 어릴수록 위험도는 높은 것으로 보고 있다.

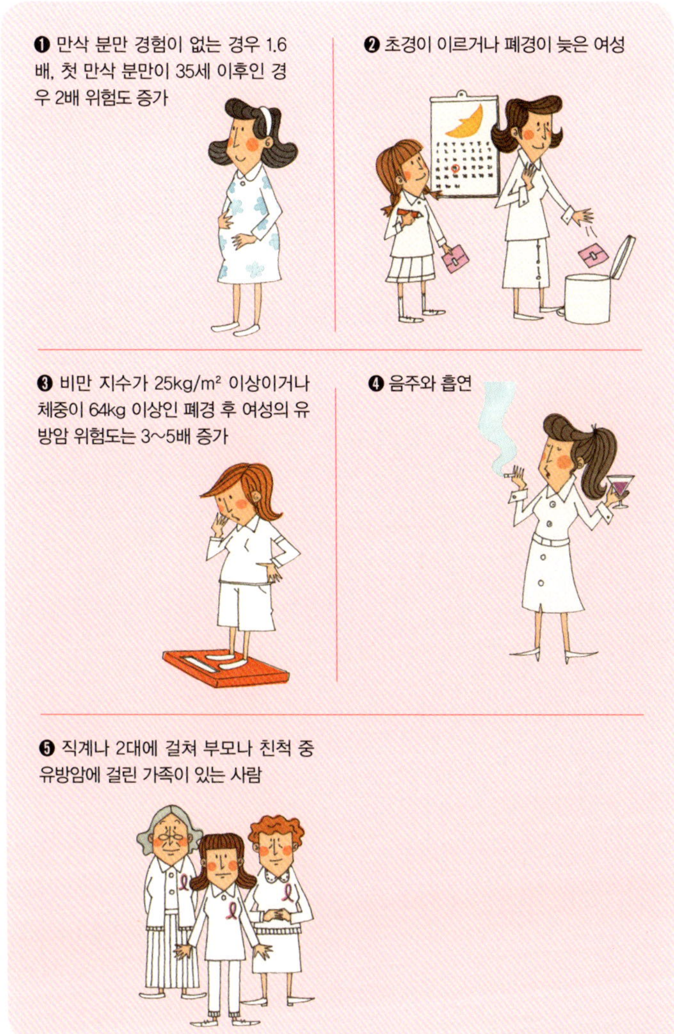

그림 6. 이럴 때 유방암 발생 위험도가 높아져요

05

유방암의 3대 증상

유방암의 대표적인 증상은 유방 종괴, 유방 통증, 유두 분비로 이를 유방암의 3대 증상이라고 한다. 이러한 증상들은 유방의 양성 질환에서도 나타나기도 하므로 유방암 진단은 증상만으로 확신할 수는 없고 증상이 있을 경우 영상 검사나 조직 검사 등을 거쳐야 한다.

유방암의 대표적인 증상은 유방 종괴, 유방 통증, 유두 분비로 이를 유방암의 3대 증상이라고 한다. 그리고 이 밖에 유두 함몰, 겨드랑이 종괴, 유방의 피부 변화 등 다양한 증상이 나타난다.

그러나 전혀 아무런 증상이 없는 경우도 많다. 특히 최근에는 과거에 비해 유방 건강 검진을 하는 사람들이 늘어 별다른 증상이 없는 상태에서도 유방 촬영이나 초음파 등에 의해 암이 발견되는 경우가 늘어난다.

또한 유방암 증상은 유방암에서만 나타나는 증상이 아니라, 유방에 생길 수 있는 다른 여러 가지 양성 질환에서도 비슷한 증상이 나타나므로 증상만으로는 유방암을 확신할 수 없다.

따라서 증상이 있을 경우 그 증상이 양성 질환으로 인한 것인지 악성 질환으로 인한 것인지를 먼저 감별하는 것이 중요하다. 결과적으로는 영상 검사나 조직 검사 등을 거쳐야만 유방암이라 확진할 수 있다.

유방암에서 나타나는 증상들

딱딱한 혹이 만져지면 유방 종괴

유방 종괴란 유방에서 딱딱한 혹이 만져지는 것으로 유방암 증상 중 70%를 차지하는 가장 흔한 증상이다. 자가 검진으로도 발견할 수 있어 환자 스스로 혹이 만져져 병원을 찾아오는 경우가 있다. 반면, 혹은 만져지지만 통증이 없다는 이유로 무시하고 병원에 오지 않는 경우도 있다.

그러나 유방 종괴의 대부분은 통증이 없다. 통증이 오는 유방 종괴는 5.6%이다. 따라서 유방 종괴를 발견하였다면 통증과 상관없이 병원을 찾는 것이 좋다. 간혹 나이가 어리다는 이유로 넘어가는 경우도 있는데,

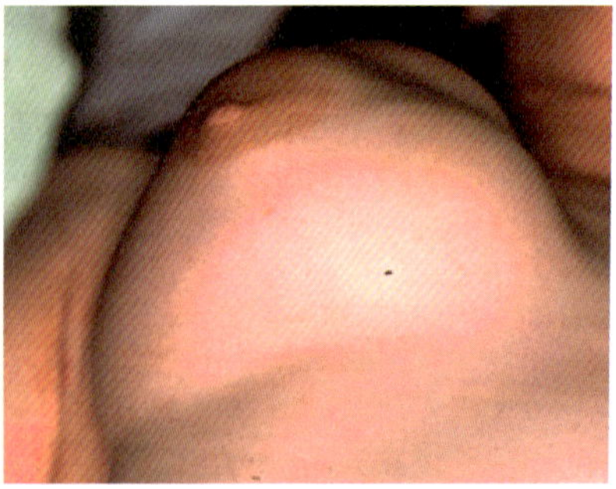

그림 7. 유방 종괴

어린 나이에 유방암이 발생하는 경우도 있으므로 혼자 판단하지 말고 병원을 찾도록 한다.

물론 유방 종괴가 있다고 해서 모두 유방암은 아니다. 유방암 외에도 섬유 선종이나 유방 낭종 등의 유방 질환에서도 유방 종괴가 나타난다. 그러므로 종괴가 만져진다고 미리 겁먹지 말고 정확한 진단만이 유방암을 확인해 준다는 것을 명심하자.

매우 흔한 유방 통증

유방 통증은 여성에게 매우 흔한 증상 중 하나로 대부분은 정상적인 생리 현상이다. 따라서 대부분은 특별한 치료가 필요하지 않으며 저절로 좋아진다. 또한 때로는 흉통을 유방 통증으로 착각하는 경우도 있다.

그러나 유방 통증이 최근에 생겨 지속적으로 계속되며 통증이 유방 한부분에만 나타난다면 유방암 가능성이 있으므로 전문의의 진찰을 받아야 한다.

유두 분비

유두 분비는 유방암 증상 중에서 유방 종괴 다음으로 흔한 증상이지만 유두 분비가 있다고 해서 반드시 유방암은 아니다. 오히려 유즙 분비 과다인 경우가 많다. 수유기가 아닌 여성의

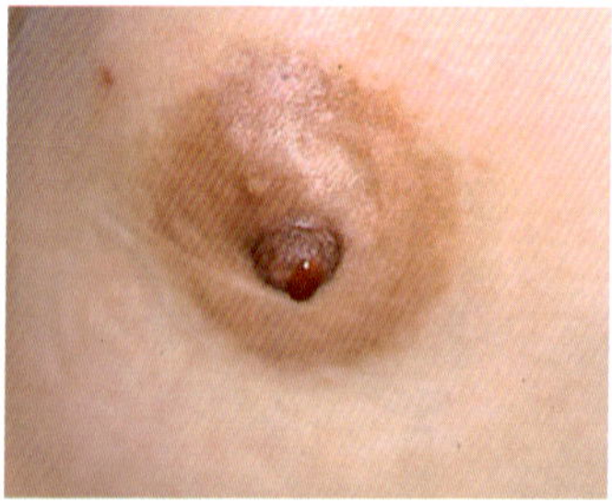

그림 8. 혈액성 유두 분비 사진

유두에서 유즙과 유사한 분비물이 나오는 것을 유즙 분비 과다라고 하는데, 원인은 대부분 생리적인 현상이다.

그러나 유즙이 아닌 피 등의 다른 분비물이 유두에서 나오면 병원을 찾아 상의해야 한다. 유두에서 피가 분비되는 혈액성 유두 분비의 대부분은 관내 유두종 등 양성 질환 때문이지만 유방암의 한 증상으로도 나타날 수 있기 때문이다.

참고로 양쪽 유방 모두에서 유두 분비가 있는 경우는 양성 질환이 원인인 경우가 훨씬 많다.

유방에 나타나는 피부 변화

유방암으로 인한 유방의 피부 변화로는 피부 함몰, 피부 궤양, 피부 부종, 피부 결절 등이 있다. 이 가운데 피부 함몰은 유방암이 쿠퍼씨 인대를 침범하여 그 인대가 땅겨지면서 나타나는 증상인데, 유방암 외에 유방의 다른 양성 질환 때문에 나타나기도 한다.

그리고 피부 궤양과 피부 결절은 유방암이 피부를 침범했

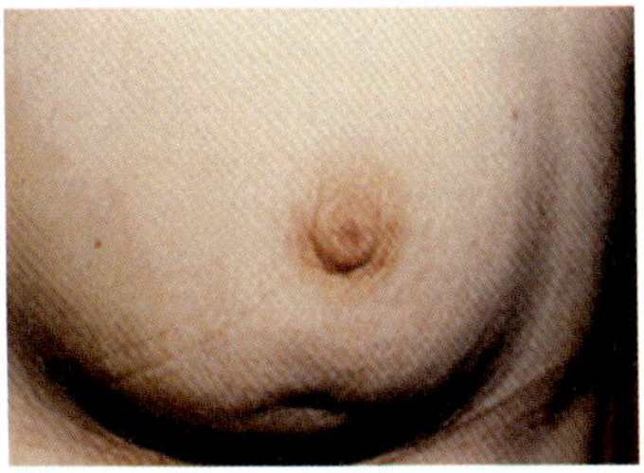

그림 9. 피부 함몰

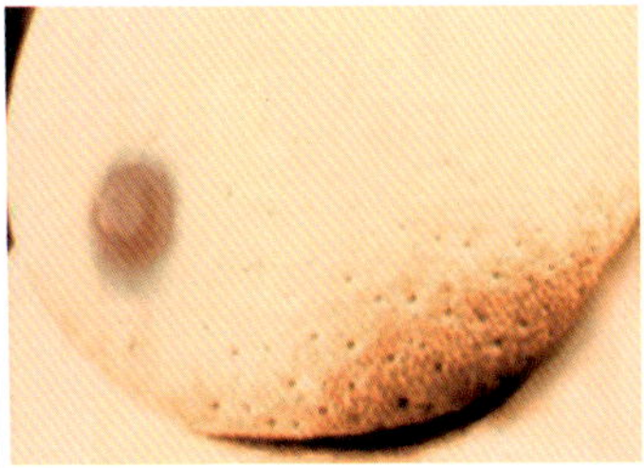

그림 10 . 피부 부종

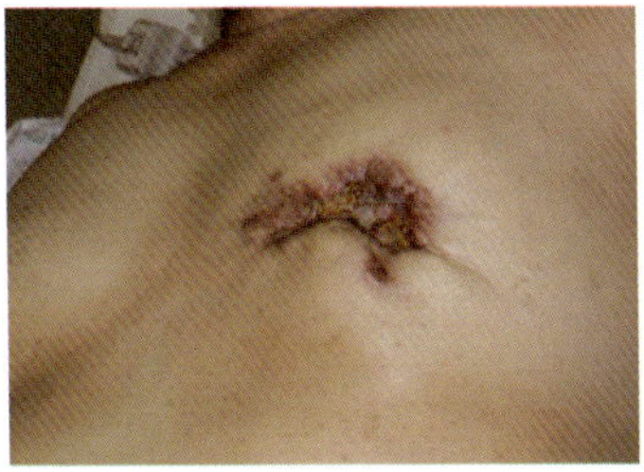

그림 11. 피부 결절

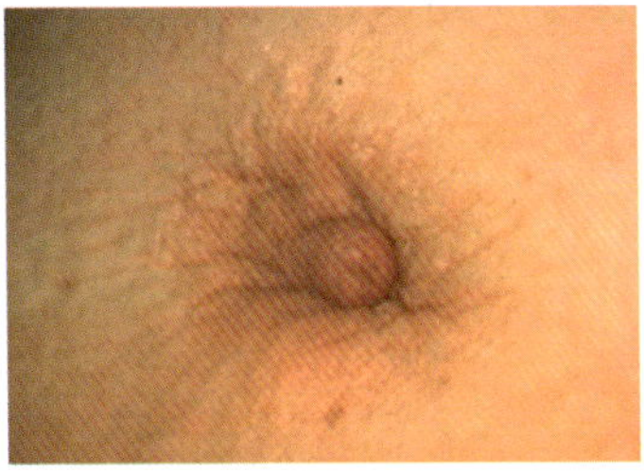

그림 12. 유두 함몰

을 때 나타나는 증상이며, 피부 부종은 유방암이 피부의 림프절을 침범했을 때에 나타나는 증상으로 피부가 귤껍질처럼 변한다.

유두 함몰

유방암에 의해 유두가 아래쪽으로 끌려가면서 나타나는 증상으로 유방암으로 인해 나타날 수 있는 유두의 증상 중 가장 대표적인 증상이다. 선천적인 유두 함몰이 아닌데, 최근에 유두가 함몰되었다면 유방암 가능성이 있다.

겨드랑이 림프절 촉진

겨드랑이에는 많은 림프절이 존재하지만 보통 림프절은 손으로 만져지지 않는 것이 정상이다. 그러나 염증이나 외상, 암 등에 의해 림프절이 커지면 혹처럼 만져지기도 한다.

기타 증상

유두의 습진, 요통, 체중감소 등 다양한 증상이 발생할 수 있다.

표 1. 유방암의 증상(한국중앙암등록사업, 2005.5)

유방암의 증상	환자수	%
통증이 없는 유방 종괴	18,973	66.4
통증이 있는 유방 종괴	2,201	7.7
무증상	2,264	7.9
유두 분비	1,318	4.6
유방 통증, 불편감	902	3.2
유두 함몰	779	2.7
겨드랑이 종괴	663	2.3
유방의 피부 변화	529	1.8
기타	963	3.4
합계	28,592	100.0

Hospital Memo

유방에 생기는 질환 중 암으로 변하는 것들

유방에는 유방암뿐만이 아니라 여러 가지 질환이 생길 수 있다. 그중에는 방치하면 악성 종양인 암으로 진행하는 질환도 있고, 시간이 지나도 암으로 변하지 않는 질환도 있다.

유방의 양성 질환인 선증, 아포크린 화생, 편평 화생, 낭종, 경도 과형성, 유관 확장증, 섬유 선종, 섬유화, 유방염은 암으로 진행할 위험성이 없다.

반면 중등도 또는 개화성 과형성 증식증, 유관 유두종의 일부, 경화성 선증의 일부는 유방암이 발생할 위험이 약간 있으며, 비정형성 과형성은 유방암 위험이 앞의 질환보다 조금 더 높아 유방암의 발생 위험을 4~5배 증가시킨다.

참고로 과형성이란 세포의 개수나 크기가 증가한 상태를 말하는 것으로 과형성의 정도에 따라 경도, 중등도, 고도, 비정형성 과형성의 4단계로 분류한다.

06

유방암, 조기 발견이 최선이다

한국유방암학회의 정기검진 권고안에서는 30세 이후 매월 유방 자가 검진, 35세 이후 2년 간격의 임상 진찰, 40세 이후 1~2년 간격의 유방 촬영술을 추천한다.

유방암을 확실하게 예방하는 방법이 현재로서는 없다. 때문에 정기검진을 통해 유방암을 조기에 발견하는 것이야말로 유방암의 위험을 낮추고 유방암 치료의 성적을 높이는 가장 중요한 방법이다.

그렇다면 유방암을 조기에 발견하기 위해서는 어떻게 해야 할까?

유방암의 조기 검진은 주로 유방 자가 검진, 의사에 의한 임상 진찰, 유방 촬영술과 초음파 검사 등을 통하여 이루어진다. 이 중 유방 촬영술은 이학적 검진상 발견되기 이전 단계에서 종양을 발견할 수 있는 장점이 있다. 최근 유방 촬영술은 작은 종괴까지도 발견할 수 있으며, 유방암으로 이행하기 전단계인 비침윤암(관상피내암 등)의 발견율도 증가하여 이 선별검사를

표 2. 유방암 정기검진

30세 이상	매월 유방 자가 검진
35세 이상	2년 간격으로 의사의 임상 진찰
40세 이상	1~2년 간격으로 의사의 임상 진찰, 1~2년 간격의 유방 촬영
70세 이상	의사와 상의 후 결정

통해 약 25% 정도 유방암 사망률이 감소했다는 보고가 있다.

표 2는 한국유방암학회와 국립암센터에서 제정한 유방암 정기검진 권고안이다.

또한 유방암은 유방의 멍울 등을 여성 스스로 손으로 만져 봄으로써 유방암을 발견할 수도 있다는 특징이 있다. 이러한 특징은 다른 암에서는 보기 힘든 것으로, 자가 검진이야말로 유방암 예방과 조기 발견의 중요한 첫걸음이자 빠져서는 안 되는 핵심 포인트이다. 따라서 20세가 넘은 여성이라면 자가 검진을 습관화하는 것이 좋다.

자가 검진을 하는 방법도 어렵지 않다.

한 달에 한 번 월경이 끝나고 일주일 정도 지나서 유방이 가장 부드러워질 때 거울 앞에서 외양의 변화를 살피고 스스로 겨드랑이 부위를 포함한 유방의 구석구석을 눌러 보며 만져 보고 유두도 짜보아 분비물이 나오는지도 살펴본다.

특히 멍울이 만져지는지, 피부에 들어간 부분이나 유두가 갑자기 함몰되지는 않았는지 주의 깊게 살펴야 한다. 이러한 변화가 있으면 바로 병원을 찾아야 한다. 참고로 월경이 끝난 뒤 5~10일 뒤가 유방 검진에 가장 적당한 시기이다.

물론 유방을 만져도 정상인지 이상이 있는지 모를 수도 있다. 실제로 정상 유방인지 멍울인지 구분하기 힘들다고 이야기하는 여성이 상당수다. 그러나 자가 검진은 단지 지난달과의 변화가 있는지만 관찰하여도 된다.

그리고 한 달에 한 번씩 규칙적으로 자가 검진을 하다 보면 자신의 유방의 형태나 촉감 등에 익숙해져 새롭게 생긴 몸의 작은 변화를 쉽게 알 수 있다. 예를 들어 피부가 좀 딱딱해지거나 둔탁해진 느낌, 멍울, 유두 분비물 발생, 피부색의 변화 등 평상시와 다른 변화가 없는지 살피면 된다.

주의할 것은 자가 검진을 통해 이상한 점이 느껴지더라도 미리 암이라고 단정하여 겁먹을 필요는 없다는 것이다. 자가 검진에서 발견된 이상의 원인이 암이 아닌 경우가 대부분일 뿐 아니라, 자가 검진을 하면서 발견한 유방암은 대부분 조기암인 경우가 많아 그만큼 완치 가능성이 매우 높기 때문이다. 이 점을 염두에 두고 보다 확실한 유방의 자가 검진 방법을 익혀 보자.

Hospital Memo

유방 자가 검진 방법

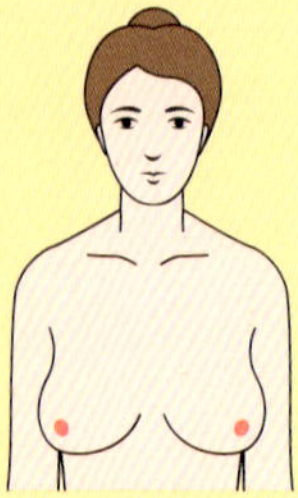

❶ 먼저 거울 앞에 서서, 거울에 자신의 유방을 비추어 보아 양쪽 유방의 형태를 주의 깊게 관찰한다.

- 이때 유방의 전체적인 윤곽과 양쪽 크기가 다른지
- 피부에 주름 등의 이상 소견이 없는지
- 움푹 들어가는 부분은 없는지
- 유두에 분비물이 있는지 등을 관찰한다.

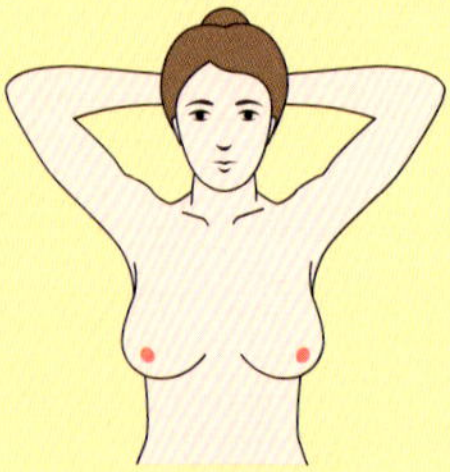

❷ 거울 앞에서 양손을 깍지 끼워 머리 위에 얹고, 머리를 약간 밀어 유방의 피부를 팽팽하게 한 뒤

- 유두의 위치가 다른지
- 유방에 깊이 파인 부분이 있는지 확인한다.

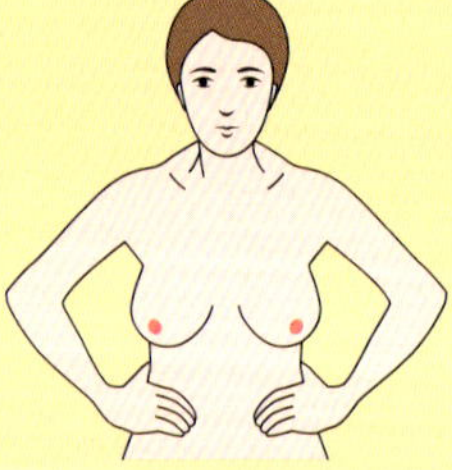

❸ 다음은 양손을 양 허리에 고정시키고, 거울을 향해서 팔과 어깨를 앞으로 내밀며 고개를 약간 수그린 뒤

- 1, 2와 같은 방법으로 유방을 살펴본다.

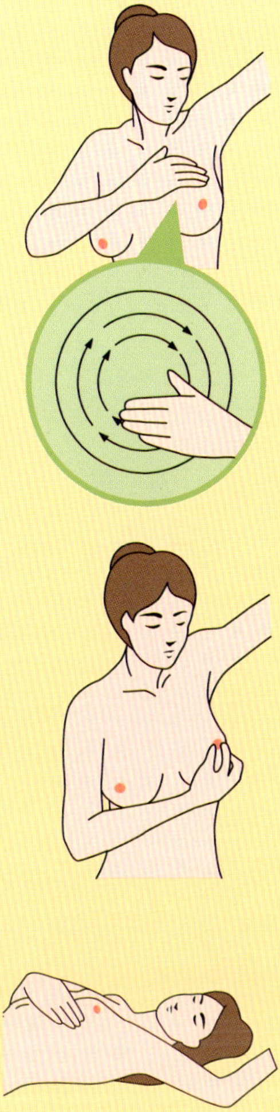

❹ 왼쪽 팔을 들고 오른손 손가락 끝으로 왼쪽 유방을 힘 있게 누르면서 멍울이 있는지 촉진한다.

- 이때 촉진은 유방을 약간 눌러서 비비는 느낌으로 유방의 바깥쪽에서부터 시계 방향으로 원형을 그리며 유두를 향하여 점진적으로 들어오는 방법으로 시행한다. 참고로 손바닥으로 유방을 움켜쥐며 만지는 것은 잘못된 방법으로 멍울이 있는 것처럼 느껴진다.

❺ 부드럽게 유두를 짜서 진물이나 핏빛의 분비물이 나오는지 살핀다(분비물이 있다면 의사와 상의한다).

- 4, 5번의 방법을 반대쪽 유방에서도 똑같이 시행한다.

❻ 왼쪽 어깨 밑에 베개나 수건을 접어 받친 뒤 왼손을 머리 위로 올려 유방이 평평하게 되도록 만든 후 4, 5번의 방법을 누워서도 시행한다. 반대쪽 유방에도 똑같이 시행한다.

그림 13. 유방 자가 검진 방법

07

유방암을 진단하는 여러 가지 방법

유방 촬영술과 유방 초음파는 암을 진단하는 데 가장 중요하고 기본이 되는 검사이다. CT · MRI · PET · 뼈 스캔 등의 검사들은 암의 크기와 진행 정도, 수술 방법을 결정하기 위한 정밀 검사이다.

유방암을 진단하는 검사 방법은 여러 가지가 있다. 그중 임상 검진은 유방 전문의에게 촉진과 문진 등의 진찰을 받는 것을 말하는데, 유방의 자가 검진으로 발견하지 못한 작은 종괴나 기타 유방의 증상을 발견할 수 있다.

이러한 임상 검진을 한 뒤 의사가 보다 정밀한 검진이 필요하다고 판단하면 일반적으로 유방 촬영술이나 유방 초음파 등의 영상 검사를 한다. 그리고 영상 검사 결과 유방에서 종괴나 석회화 등이 발견되면 영상 소견에 따라 정기 검사를 하면서 변화를 지켜보거나 경우에 따라 조직 검사를 한다.

영상 검사 중에는 유방 촬영술, 유방 초음파가 대표적이며, 그 외에도 CT·MRI·PET 등의 여러 가지 영상 검사들이 유방 검사에 이용된다. 이 중 유방 촬영술과 유방 초음파는 암을 진단하는 데 가장 중요하고 기본이 되는 검사이며, CT·MRI·PET·뼈 스캔 등의 검사들은 주로 암의 크기와 진행 정도, 수술 방법을 결정하는 정밀 검사이다.

조직 검사는 암이 의심되는 부분의 조직을 채취하여 현미경으로 관찰한 다음 암이 발생했는지의 여부를 진단하는 방법으로 미세침 흡인 세포 검사, 중앙부 절침생검, 맘모톰 검사, 절개 생검, 절제 생검, 바늘 표시 생검법 등의 방법이 있다. 각각 모두 장단점이 있으므로 의사가 가장 적합하다고 판단하는 조직 검사를 한다.

유방암 진단을 위한 영상 검사 방법

유방 촬영술

단순 X선을 이용한 유방 촬영술은 유방 질환을 발견하고 진단하는 데 기본이 되는 검사이다. 검사 장비를 이용하여 유방의 X선 사진을 찍는 것으로 비용도 저렴하고 검사 방법도 매우 간단하다. 일반적으로 상하, 좌우 두 가지 종류의 사진을 찍는데, 필요하면 유방의 특정 부위만 확대하여 검사를 시행하는 등 여러 방법으로 진단에 필요한 영상을 찍는다.

촬영한 영상은 영상의학과 전문의가 판독하여 암의 발생

여부를 확인한다. 그러나 젊은 여성은 유방 조직이 치밀하게 분포하고 있어 유방 촬영술로 얻어진 유방의 영상이 전체적으로 하얗게 나와 암의 발견이 어려울 수 있다. 이런 경우에는 유방 초음파를 시행하는 것이 도움이 된다.

참고로 유방 촬영술상 유방암은 종괴 또는 미세 석회화의 양상으로 발견되는데, 약 10%의 유방암은 유방 촬영술로는 발견이 안 된다. 반면 임상적으로 촉지가 안 되는 유방암이라 할지라도 유방 촬영술로 발견하기도 한다.

유방 초음파

유방 초음파는 현재 유방 촬영술과 더불어 가장 많이 쓰이는 유방 검사 방법이다. 유방 조직이 치밀하게 분포하는 경우에도 검사에 영향이 적고, 실시간으로 영상을 얻을 수 있으며, 작은 병변도 비교적 쉽게 찾아낼 수 있고, 겨드랑이 부위도 자세히 검사할 수 있는 장점이 있다. 또한 유방에 종괴가 있다면 특성을 파악하는 데도 유용하다.

그러나 비교적 비용이 많이 들며, 미세 석회화를 보는 데에는 효용성이 떨어지는 단점도 있다. 따라서 유방 초음파 검사는 유방암 진단을 할 때 유방암 촬영술과 함께 서로 보완적인 관계를 가지며 시행한다.

참고로 유방 초음파 결과 발견된 종괴의 악성도를 구분하기 어려우면 6개월 정도의 간격을 두고 유방 촬영술이나 초음파로 추적 검사를 시행하여 변화 양상을 관찰한다. 이 기간 동안 종괴의 크기 등에 변화가 없으면 양성으로 간주하지만, 종양의 크기가 증가하는 등 악성이 의심되면 추가로 조직 검사를 시행한다.

전산화 단층촬영술(CT)과 자기 공명 영상(MRI)

유방 촬영술과 유방 초음파 검사 이외에도 최근에는 전산화 단층촬영술(CT)이나 자기 공명 영상(MRI)을 비교적 자주 사용하는데, 이들 검사는 유방암의 발생 여부뿐 아니라 초음파에서 파악하기 힘든 유방 주변의 근육과 흉벽 및 겨드랑이 림프절의 상태를 파악할 수 있어, 암이 주변 조직에 침투하였는지 또는 다른 장기에 전이 가능성이 있는지 등에 대한 정보를 제공해 준다.

또한 실리콘 등을 이용한 유방 확대술 등을 시행받은 환자의 유방암 진단에 유용하며 유방 보존술 등 유방암의 수술 계획을 세우는 데도 도움이 된다.

양전자 방출 단층촬영술(PET)

양전자 방출 단층촬영술(PET)은 암세포의 기능적 특성과 생리적인 변화를 이미지로 나타내는 검사로, 양전자를 방출하는 물질에 포도당을 결합한 약물을 몸 속에 주사한 뒤 영상 장비를 이용하여 촬영한다.

다른 검사에 비해 정밀하며 유방만 검사하는 것이 아니라 전신을 검사하기 때문에 재발된 병변을 찾는 데 주로 사용한다. 유방암이 임상적으로 의심되지만 유방 초음파나 유방 촬영에서는 잘 나타나지 않는 경우에도 양전자 방출 단층촬영술을 시행한다.

단점은 전산화 단층촬영술이나 자기 공명 영상에 비해 병변의 형태학적인 구조를 파악하는 능력은 다소 떨어진다는 점이다. 또한 검사에서는 양성으로 나타나 실제로 보면 암의 전이가 아닌 경우가 다소 많아 이 검사만으로는 암을 확진할 수 없다. 다른 검사나 임상 소견을 종합하여 판단을 내려야 한다.

그래서 최근에는 전산화 단층촬영술과 양전자 방출 단층촬영술의 기술을 결합하여 병변의 형태학적인 측면과 기능적인 측면을 모두 잘 관찰할 수 있는 Fusion PET(PET-CT) 등의 검사 방법을 많이 사용하고 있다.

뼈 스캔

뼈 스캔은 유방암의 전이가 잘 일어나는 장기인 뼈로 유방암이 전이되었는지 알기 위해 전신의 뼈를 검사하는 것으로, 양전자 방출 단층촬영술과 마찬가지로 암세포의 기능적인 측면을 이용하여 검사한다. 암이 전이된 경우 뼈 스캔을 하면 전이된 부분이 다른 곳보다 진하게 보인다.

그러나 암의 전이뿐만 아니라 염증이나 골절 등이 있을 경우에도 비슷한 현상을 보이므로 다른 검사와 임상 소견, 병력 등을 종합하여 뼈 전이 유무를 평가해야만 한다.

유방암 진단을 위한 조직 검사 방법

미세침 흡인 세포 검사

유방에 생긴 종괴에 가느다란 주사침을 직접 찔러 넣은 뒤 주사기로 종괴의 세포들을 흡입하는 방법이다. 이렇게 얻은 종괴 세포 샘플은 병리과에서 염색한 뒤 암세포가 있는지 현미경으로 관찰한다. 매우 간단하여 환자의 불편도 적고, 비용도 저렴한 데 비해 정확도는 상당히 높아 유용하다. 단, 충분한 양의 조직을 얻기는 힘들어 정확한 진단을 내리는 데에는 어느 정도 한계가 있다.

중앙부 절침생검

유방 피부에 작은 절개창을 만든 뒤 바늘을 삽입하여 유방 종괴의 조직을 채취하는 방법이다. 종괴의 세포를 주사로 흡인하는 미세침 흡인 세포 검사와 달리 조직을 채취하기 때문에 보다 정확하게 진단할 수 있다. 이 역시 비교적 간단하게 할 수 있는 검사이다.

맘모톰 검사

맘모톰이라는 특수하게 제작한 기구를 이용한 조직 검사 방법으로, 유방 피부에 작은 절개창을 만든 뒤 그곳에 맘모톰 기구를 삽입한다. 그리고 음압을 이용하여 암이 의심되는 유방의 종괴 조직을 흡입하면서 병변을 절제한다. 중앙부 절침생검보다 더 많은 조직을 얻을 수 있는 장점이 있다.

참고로 최근에는 조직 검사 외에 유방의 양성 병변일 경우에 흉터를 최소화하면서 절제하는 데 맘모톰 기구를 사용한다.

절개 생검

절개 생검은 유방을 국소 마취한 뒤 절개창을 만들고 수술로 병변의 일부를 절제하는 방법이다. 비교적 간단한 수술로 의사가 직접 보면서 조직을 충분하게 채취할 수 있는 장점이 있다.

하지만 미세침 흡인 세포 검사, 중앙부 절침생검, 맘모톰 검사 등에 비해 흉터가 조금 더 남는 단점이 있다.

절제 생검

절개 생검과 마찬가지로 유방을 국소마취한 뒤 절개창을 만든다. 단 병변의 일부를 절제하는 절개 생검과 달리 절제 생검은 수술을 통해 병변의 전체를 절제하는 방법으로 조직 검사 방법들 중 가장 확실하게 조직을 얻을 수 있다.

조직 검사를 통한 진단과 동시에 치료를 목적으로 할 때 시행한다. 또한 중앙부 절침생검 등의 조직 검사 결과와 영상 검사 결과 등이 일치하지 않을 때에도 가장 확실한 진단 방법으로 이용한다.

바늘 표시 생검법

만져지지 않는 혹이나 석회화에 대해 조직 검사가 필요할 때 사용하는 방법으로, 유방 초음파나 유방 촬영술 등으로 미리 병변에 가는 바늘 등을 이용하여 표시를 해 놓은 뒤 수술을 통해 조직 검사를 하는 방법이다.

Hospital Memo

유방의 석회화란 무엇인가?

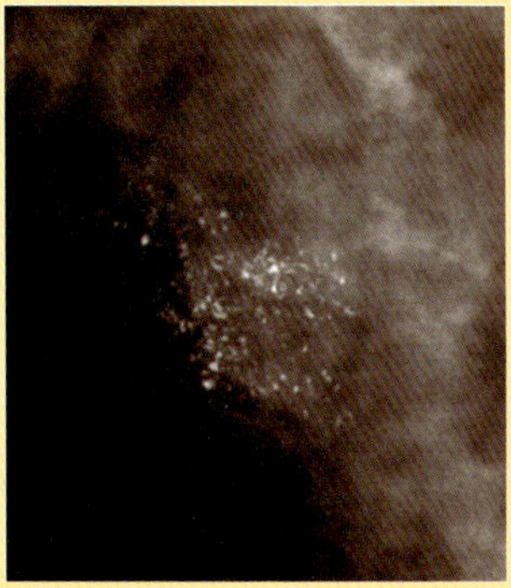

그림 14. 유방 촬영상 악성 미세 석회화 소견

유방을 촬영해 보면 유방 조직에 칼슘이 침착되어 보이는 것이 있는데 이것을 '유방의 석회화'라고 한다. 일반적으로 유방의 석회화는 나이가 들면서 많아지며 석회화의 크기, 농도, 개수, 분포, 모양 등에 따라 양성 석회화와 악성 석회화로 분류한다. 악성 석회화는 유방암 가능성이 있다.

그러나 대부분의 석회화는 암과는 무관한 양성 석회화일 경우가 대부분이므로 석회화가 관찰되었다고 두려워하거나 수술로 무조건 제거할 필요는 없다. 석회화는 나이가 들면서 어쩔 수 없이 발생하고 증가하는 것이기 때문이다. 따라서 양성 석회화는 수술로 제거할 필요가 없으며, 수술로 제거한다 해도 석회화를 모두 제거하는 것은 사실상 불가능하다. 악성 석회화가 의심되면 의사가 판단하여 가장 적합한 조직 검사법으로 조직 검사를 한다.

08

유방암 수술 치료 방법

수술은 유방암 치료의 가장 핵심적인 부분으로 과거와 달리 삶의 질을 고려하여, 가급적 유방의 형태를 보존하고 수술 후 후유증을 줄이려는 방향, 겨드랑이 림프절 제거를 생략하는 방향으로 발전하고 있다.

유방암은 어느 암보다도 치료법이 잘 개발되어 있고 치료 후 성적도 좋다. 우리나라는 최근 들어 유방암 발생 빈도가 급격히 높아졌지만 미국을 비롯한 선진국은 이미 오래 전부터 유방암 환자가 많았다. 미국 여성 8명 중 1명 꼴로 유방암이 발생한다는 통계가 있다.

유방암 치료에는 주 치료법인 수술 외에 항암 화학요법, 표적치료, 호르몬 요법, 방사선치료 등이 있다. 현재 유방암의 치료는 환자 상태에 알맞은 여러 가지 치료법을 병행하여 다각도로 암을 공격함으로써 효과를 높이고 있다.

참고로 수술과 방사선치료는 유방과 유방 주변의 암을 제거하는 국소적인 치료에 해당하며 항암 치료와 표적치료, 호르몬 치료는 전신에 퍼져 있을지 모르는 암세포를 제거하고 재발을 방지하기 위한 전신적인 치료에 해당한다.

수술 치료

수술은 유방암 치료의 가장 핵심 부분으로 지난 1800년대 후반부터 여러 가지 수술 방법들이 꾸준히 발전하여 지금에 이르렀다. 다른 어떤 방법보다 치료 효과가 가장 뛰어나다는 장점이 있지만, 암이 많이 진행한 경우에는 수술이 불가능하기도 하다.

또한 암을 완전히 제거하다 보면 수술 범위가 넓어져 합병증이나 후유증이 많아지기도 하며, 유방 상실로 수술 후 삶의 질이 떨어지거나 정신적인 고통이 따르기도 한다.

그러므로 유방암 수술은 병의 치료는 물론, 유방 조직과 기능의 보존, 삶의 질 등 여러 가지 측면을 고려하여 해야 한다. 특히 과거와 달리 수술 후 삶의 질적인 측면이 인생을 살아가는 데 있어 중요한 의미를 갖는 만큼, 현대 의학은 가급적 유방의 형태를 보존하고 수술 후 후유증을 줄이려는 방향, 겨드랑이 림프절 제거를 생략하는 방향으로 연구하면서 발전하고 있다.

이러한 수술 치료에는 근치적 유방 절제술, 변형 근치적 유방 절제술, 유방 보존술, 단순 유방 절제술, 감시 림프절 생검 등의 방법들이 대표적이다. 참고로 유방암의 수술 합병증으로는 상지 부종, 상처 감염, 수술 부위 출혈, 겨드랑이와 어깨 부위 감각 상실, 또는 통증, 수술 부위 조직액 저류 등이 간혹 있다.

근치적 유방 절제술

유방 전체를 절제하는 것은 물론, 겨드랑이의 림프절과 대흉근까지 절제하는 방법이다. 과거에는 많이 사용한 수술 방법이지만 현재에는 잘 사용하지 않고 일부 진행성 유방암일 경우에만 시행한다.

변형 근치적 유방 절제술

유방 전체와 겨드랑이 부위의 림프절을 같이 절제하지만 대흉근은 보존하는 수술 방법이다. 근치적 유방 절제술과 달리 대흉근을 절제하지는 않지만 치료 효과는 근치적 유방 절제술과 대등하여 현재 유방 보존술과 더불어 가장 많이 사용하는 수술 중 하나이다.

유방 보존술

유방의 일부분만 절제하고 겨드랑이 림프절을 함께 절제하는 방법이다. 이 수술은 수술 뒤 남아 있는 유방에서 암이 재발

할 위험이 있기 때문에 일반적으로 방사선치료를 병행한다.

이렇게 유방 보존술과 방사선치료를 병행하면 치료 효과는 변형 근치적 유방 절제술과 차이가 없다. 그러면서도 유방 모양을 어느 정도 유지할 수 있는 큰 장점이 있기 때문에 최근 매우 선호한다.

단, 방사선치료가 불가능한 임신 초기 및 중기, 여러 개의 종양이 유방에 퍼져 있는 경우, 이전에 유방에 방사선치료를 받았던 경우, 종양이 큰 경우, 유두 밑에 종양이 있는 경우 등에서는 유방 보존술을 시행하기 어려울 수 있다.

단순 유방 절제술

유방만 절제하고 겨드랑이 림프절은 절제하지 않는 수술 방법이다. 엽상 종양, 파제트 병 등 겨드랑이 림프절 전이가 거의 일어나지 않는 유방 종양에 대해 시행한다.

감시 림프절 생검

유방암이 진행하면 겨드랑이 부위의 림프절로 가장 먼저 전이가 되는데, 겨드랑이의 많은 림프절 중에서도 가장 먼저 전이되는 곳이 있다. 이러한 림프절을 '감시 림프절'이라고 한다. 따라서 근치 유방 절제술이나 유방 보존술을 할 때 먼저 감시 림프절을 절제하여 동결 절편 검사 후에 전이의 소견이 없다면 겨드랑이 림프절을 더 이상 절제하지 않아도 된다는 연구 결과들이 있다.

감시 림프절 생검이란 이러한 사실을 바탕으로 생체 염료 및 동위원소 등을 이용하여 감시 림프절을 찾아낸 뒤, 조직을 떼어내어 조직을 검사하는 것이다.

이 생검 결과 전이가 발견되지 않으면 겨드랑이 림프절 제거술을 시행하지 않는다. 단, 감시 림프절 생검 결과 전이가 발견되지 않았다 하더라도 나중에 전이가 발견되는 경우도 5% 내외에서 있을 수 있다.

09

유방암 수술 외적 치료 방법

방사선치료는 유방과 유방 주변의 암을 제거하는 국소 치료이며, 항암치료와 표적치료, 호르몬 치료는 전신에 퍼져 있을지 모르는 암세포를 제거하고 재발을 방지하기 위한 전신 치료이다.

항암 치료(선행 항암 치료/보조 항암 치료)

항암 치료는 대표적인 전신 치료로 약물을 이용하여 암세포가 자라는 것을 막거나 죽이는 치료 방법이다. 주로 유방암 수술 뒤에 유방 이외의 다른 부분에 있을지도 모르는 암세포를 죽이거나 재발을 방지하기 위해 사용한다.

유방암의 전신적인 치료로 실시되는 유방암의 항암 치료에는 수술 전 항암 치료인 선행 항암 치료와 수술 뒤에 시행되는 항암 치료인 보조 항암 치료, 두 가지가 있다.

선행 항암 치료는 수술하기 전에 유방 종양을 축소할 목적으로 실시하며 전절제가 예상되는 경우나 염증성 유방암 소견이 있는 경우에 시행한다. 항암 치료를 먼저 하고 수술하여 유방을 보존할 기회를 높이려는 목적이 있다.

보조 항암 치료는 수술 등의 국소 치료를 실시한 이후에 미세한 전이 세포를 치료하여 재발을 낮추고 생존율을 연장시키기 위해 시행한다.

또한 유방암이 수술할 수 없을 정도로 진행한 경우에는 항암 치료가 수술을 대신하는 1차적인 치료 방법이 되기도 한다. 특히 유방암은 다른 암에 비해 항암 치료 효과가 좋은 편이라 진행한 암이라 할지라도 적극적으로 치료하면 기대한 것보다 좋은 결과를 얻기도 한다.

항암 치료에 쓰이는 항암제는 다양한데, 한 종류만 사용하기도 하지만, 보통 두세 가지 이상의 항암제를 함께 사용하여 치료 효과를 높이면서 부작용은 최소화한다.

항암 치료의 부작용은 개인별로 다르게 나타나지만 탈모, 손톱의 변화, 감염, 빈혈, 출혈, 오심과 구토, 설사 및 변비, 구내염, 폐경기, 그 밖의 일반 증상이 있다. 이러한 증상은 항암 치료가 끝나면 대부분 사라지는데, 증상이 심하면 의사와 상의하여 적절한 대처를 받도록 한다. 조기 폐경, 체중 증가, 심장 질환 등의 만성 부작용도 생길 수 있다. 참고로 수술의 보조 요법으로 시행되는 항암 치료는 수술 뒤 4주 정도 경과하면 시작한다.

방사선치료

방사선치료는 수술과 마찬가지로 전신 치료가 아닌 국소적인 치료 방법으로 고에너지의 인공 방사선을 이용하여 암세포를 죽이는 치료 방법이다. 보통 수술 뒤 재발을 방지하기 위해 수술의 보조 요법으로 방사선치료를 하는데, 특히 유방 보존술을 시행한 경우에는 남아 있는 유방의 재발 가능성이 높기 때문에 방사선치료를 병행한다.

또한 뼈 등에 유방암이 전이한 경우에는 치료 목적으로 전이된 부위에 방사선치료를 선택하기도 한다.

이러한 방사선치료는 항암 치료에 비해 부작용이 적은 편이지만, 대표적인 부작용은 치료 중 혹은 치료 종료 후 3개월까지 피부에 자극 증상이 발생하는 것이다. 환자의 방사선에 대한 민감도에 따라 피부의 홍조 및 가려움, 따끔거리는 증상이 가볍거나 심하게 나타나기도 한다. 드물지만 물집이 생기거나 피부가 벗겨지는 경우도 있다.

그러나 치료가 끝나면 피부에 나타났던 변화는 서서히 회복되므로 크게 걱정할 일은 아니다. 피부 증상이 발생할 경우 담당 의사와 상의하여 연고 등을 사용할 수도 있다.

호르몬 치료

호르몬 치료는 여성 호르몬인 에스트로겐의 영향을 받는 유방암의 특징을 이용한 것으로 항암 치료와 마찬가지로 전신 치료 방법이다. 일반적으로 에스트로겐은 유방암의 성장과 분열을 촉진시키는 기능이 있다. 때문에 호르몬 치료는 항에스트로겐 약물을 투입하여 유방암의 성장과 재발을 줄임으로써 치료한다. 이러한 호르몬 치료에 쓰이는 약물은 다양한데 그중 타목시펜이 폐경의 유무에 상관없이 사용할 수 있어 가장 많이 사용하며, 폐경 후의 환자에게는 아로마타제 억제제를 최근 많이 사용한다. 또한 여성 호르몬을 억제하는 또 다른 방법으로 양쪽 난소를 제거하거나 성선자극 호르몬 촉진제를 사용하여 에스트로겐을 고갈시키는 수술이 있는데, 이는 폐경 전 여성에게 선택적으로 사용한다. 호르몬 치료의 부작용은 여러 가지가 있을 수 있지만, 호르몬제 자체가 비교적 안전한 약이기 때문에 대부분의 부작용은 가벼우며 일시적으로 나타난다.

타목시펜을 사용하면 가장 흔하게 안면 홍조, 생리 불순, 구토, 오심, 질의 건조와 가려움 등 폐경기와 유사한 증상이 나타난다. 단, 자궁이나 간 등 다양한 장기에 여러 가지 부작용이 드물게 발생하기도 한다.

아로마타제 억제제를 사용하는 호르몬 치료는 골다공증,

근육통, 관절통의 부작용이 비교적 흔하게 나타난다. 따라서 치료 후 정기적으로 골밀도 검사를 받는 것이 좋다.

표적치료

침윤성 유방암의 20~25%에서 HER2 유전자가 과발현된다고 알려져 있으며, HER2가 과발현된 유방암은 재발의 위험성이 높고 예후가 불량한 것으로 알려져 있다. 유방암의 표적치료는 이 유전자를 선택적으로 억제시키는 치료법을 말하며, 항암화학요법과 더불어 보조요법으로 사용하게 된다.

표적치료는 재발의 위험도를 낮추고 생존기간을 연장시키는 효과가 있으며 치료효과는 HER2 과발현하는 유방암에 국한되므로 면역조직 화학검사를 통해 이를 확인 후 사용하게 된다.

표적치료제는 항암치료와 달리 탈모, 오심/구토, 혈구 감소증 등의 부작용은 거의 없지만 일부에서 부작용으로 심장독성이 있을 수 있어, 표적치료 중 심장 기능의 추적관찰이 필요하다.

유방암의 치료 방법은 이와 같이 다양하며, 치료 방침을 선택할 때는 환자 개인의 특성(연령, 체력상태, 기존의 질병 유무 등)과 종양의 특징(종양의 크기, 병기, 전이유무, 호르몬 수용체 존재 유무, HER2 유전자 발현 등)을 고려하여 가장 효과적일 것이라 예상되는 치료를 의사와 환자가 상의하여 결정한다.

10

유방암 병기와 5년 생존율

유방암은 적절한 치료만 받는다면 다른 암에 비해 사망률이 훨씬 낮아 암 중에서는 상대적으로 좋은 결과를 가져오는 희망적인 암이다. 또한 조기에 발견하여 치료를 받을수록 생존율, 즉 치료 효과가 좋다.

유방암 진단을 위해 임상 검사와 영상 검사, 그리고 수술 시행 후에 조직 검사까지 마쳤다면 암의 병기 판정을 기다리게 된다. 암의 병기에 따라 차후 치료의 방향과 방법이 결정되므로 병기의 판단은 매우 중요하다.

유방암의 병기를 결정하는 세 가지 요소를 꼽으라면 암 자체의 크기와 특성, 림프절의 침범 정도, 그리고 유방 외의 다른 부위로의 전이 여부다. 각각 T병기, N병기, M병기를 판단하는 요소로 이를 모두 종합하여 TNM병기라고 하며 최종적인 유방암의 병기는 TNM병기의 조합에 따라 0기에서 4기로 달라진다. 이때 병기의 숫자가 작을수록 초기 유방암이며, 클수록 유방암이 진행한 상태이다.

우선 각각의 T병기, N병기, M병기별로 유방암의 상태를 살펴보면 다음과 같다.

암 자체의 크기와 특성에 따른 T병기

T0 종양의 증거가 없는 경우

Tis 소엽 또는 유관 상피내암

T1 종양의 최대 직경이 2cm 미만인 경우

T2 종양의 최대 직경이 2cm보다 크지만 5cm는 넘지 않는 경우

T3 종양의 최대 직경이 5cm를 초과한 경우

T4 종양이 흉벽이나 유방의 피부를 침범한 경우

겨드랑이 림프절의 침범 정도에 따른 N병기

N0 림프절 전이가 없는 경우

N1 종양과 같은 쪽 겨드랑이에 림프절 전이가 있으나 유착되어 있지는 않은 경우

N2 종양과 같은 쪽 겨드랑이에 림프절 전이가 있고 유착되어 있는 경우 또는 종양과 같은 쪽 내유 림프절(유방 안쪽, 즉 가슴의 중앙 부위에 있는 림프절을 말함) 전이가 있는 경우

N3 N2보다 림프절 전이가 더 진행한 경우

참고로 유방암의 N병기는 암이 전이된 림프절의 개수에 따라 나누기도 한다. 개수에 따른 N병기는 다음과 같다.

N0 림프절 전이가 없는 경우

N1 전이된 림프절의 개수가 1~3개인 경우

N2 전이된 림프절의 개수가 4~9개인 경우

N3 전이된 림프절의 개수가 10개 이상인 경우

유방 외의 다른 부위로의 전이 여부에 따른 M병기

M0 유방 외의 다른 부위로의 원격 전이가 없는 경우

M1 유방 외의 다른 부위로의 원격 전이가 있는 경우

TNM병기를 조합하여 0기, 1기, 2기, 3기, 4기로 병기를 나눈다.

이 같은 병기가 환자에게 중요한 이유는 병기에 따라 생존율에 차이가 있기 때문이다. 생존율이 높다는 말은 다른 말로 하면 완치 가능성이나 치료 효과가 높다는 뜻이다. 환자의 입장에서는 가장 중요한 부분이다. 보통 생존율은 5년 생존율을 기준으로 하는 것이 일반적이므로 이를 알아보면 다음과 같다.

표 3. 병기별 5년 생존율 (2001~2012 수술환자 대상, 〈유방암 백서〉 한국유방암학회, 2020)

병기 분류	5년 생존율(%)
0	98.3
1	96.6
2	91.8
3	75.8
4	34.0

위의 자료에서 보듯이 유방암은 조기에 발견하여 치료를 받을수록 생존율, 즉 치료 효과가 좋다. 따라서 조기에 발견할 수 있도록 해 주는 정기검진의 중요성은 아무리 강조해도 모자라다.

또한 유방암은 적절한 치료만 받는다면 다른 암에 비해 사망률이 훨씬 낮아 암 중에서는 상대적으로 좋은 결과를 가져오는 희망적인 암이다. 이는 통계자료에서도 확인할 수 있는데, 2019 중앙암등록본부 통계 자료를 보면 여성의 전체 암 가운데 발생률 1위를 차지한 유방암이 5년 생존율은 여성 주요 암종 중 2위를 차지한 것으로 나타났다. 발생하는 환자는 많지만 유방암으로 인해 사망하는 사람은 상대적으로 적다는 뜻이다.

그러므로 유방암은 조기에 발견하도록 평소에 노력하고, 유방암에 걸렸다 하더라도 두려워하지 말고 빨리 병원을 찾아 적절한 치료를 받는 것이 유방암에 대처하는 최선의 자세이다.

Hospital Memo

남성도 유방암에 걸릴 수 있다?

많은 사람들이 전립샘암이 남성에게만 찾아오는 질병이듯 유방암 역시 여성만이 걸리는 질병이라고 알고 있지만 사실은 그렇지 않다. 여성에게는 전립샘이라는 기관이 존재하지 않으므로 여성은 전립샘암에 걸릴 수가 없지만, 남성은 유방 안에 유선 조직이 있기 때문에 남성 역시 유방암에 걸릴 수 있다.

물론 남성에게 유방암이 발생하는 경우는 여성 유방암 발생 빈도에 비해 1%도 되지 않을 정도로 적지만, 그렇다고 유방암으로부터 완전하게 안전하지는 않다.

또한 워낙 남성 유방암이 흔치 않아 진단 자체가 늦어지는 게 대부분이라, 남성 유방암은 이미 진행한 상태에서 발견하는 경우가 많다. 그만큼 예후가 여성의 유방암보다 좋지 않다.

치료 방법은 여성의 유방암과 크게 다르지 않다.

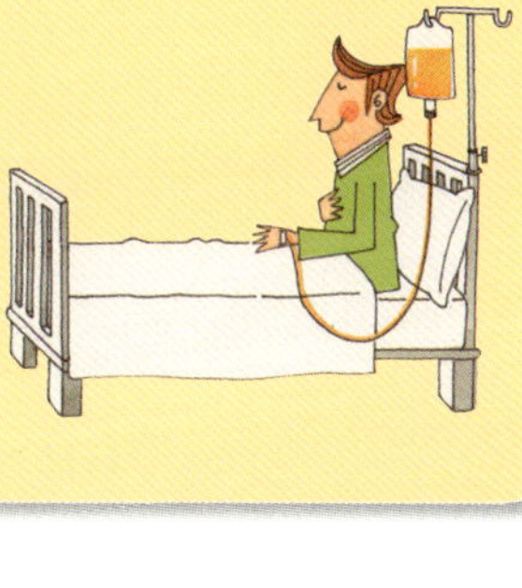

11

유방암 재발을 막기 위한 노력

재발을 막기 위해서는 유방암 치료 시 수술 후 보조 요법을 적극적으로 받고 생활 습관을 바로하는 것이 중요하다. 또한 재발 역시 정기 검사를 통하여 조기에 발견하고, 재발 시에도 적절한 치료를 받는 것이 가장 중요하다.

앞서 언급했듯이 유방암은 어느 암보다도 치료가 잘 되고 또한 생존율도 높다. 하지만 생존율이 높다는 사실은 한편으로는 중간에 재발 가능성도 많다는 것이다. 따라서 유방암은 치료 뒤에도 재발을 방지하기 위해 지속적으로 노력해야 하는데, 그 기간이 평생이라는 사실을 염두에 두어야 한다. 흔하지는 않지만 치료 뒤 10년이 지난 뒤, 또 그 이상에서도 재발이 관찰되는 경우가 있기 때문이다.

불행히도 문제는 아직까지 재발을 완전히 예방할 수 있는 방법은 없다는 사실이다. 따라서 재발 역시 정기적인 검사를 통하여 조기에 발견하고, 재발 시에 적절한 치료를 받는 것이 가장 중요하다. 여기에 더하여 유방암 치료 시 수술 후 보조 요법으로 받는 항암 치료 등을 적극적으로 받는 것도 중요하다. 보조 요법으로 시행되는 항암 치료 등은 애초에 유방암 재발을 예방하기 위해 시행하는 치료인만큼 의사의 권유에 따라 착실히 치료받으면 그만큼 재발 위험성이 낮아진다.

생활 습관도 매우 중요하다. 채식을 많이 하고, 술을 삼가고, 적당한 체중을 유지하고, 적절한 운동을 하면 유방암 발생의 30% 이상을 예방할 수 있다. 그만큼 재발 위험성도 생활 습관을 어떻게 가지느냐에 따라 좌우된다.

특히 식생활 습관의 중요성은 아무리 강조해도 모자란데, 서구화한 식생활로 인한 과도한 지방과 육류의 섭취를 줄이는 것이 도움이 된다. 그렇다고 지방의 섭취를 전혀 안하는 것은 좋지 않다. 유방암 재발 방지를 위해 성인은 매일 25g의 섬유질을 섭취하라고 권장하는데, 섬유질이 풍부한 야채와 과일, 콩의 섭취를 늘리도록 한다.

마지막으로 기본적으로 식사는 맛있고 즐겁게 해야 한다. 아무리 몸에 좋은 음식이라도 맛이 없거나 식사가 즐겁지 않으면 몸에 좋을 리 없다.

12

유방암 재발에 대응하는 치료 방법

유방암 재발을 조기에 발견하기 위하여 유방암 치료 뒤에도 정기검진이 필요하며, 재발 시에는 수술 치료 및 방사선치료, 항암 화학 치료 등을 시행한다. 전이된 장기에 따라 다양한 방법으로 치료한다.

유방암이 가장 흔히 전이하는 곳은 폐, 간, 뇌, 뼈 등이다. 재발을 조기에 발견하기 위하여 유방암 치료 뒤에도 정기검진을 한다. 정기검진은 처음 2년간은 3~6개월 간격으로, 그 이후에는 6개월~1년 간격으로 하는데, 촉진과 시진 등으로 유방, 목, 간, 피부 부위 등을 검사하고, 유방 촬영이나 초음파를 통하여 남아 있는 유방에 문제가 없는지도 확인한다.

또한 폐 X선을 촬영하고 혈액 검사로 간 기능과 신장의 기능, 혈중 암 표지자 등을 검사한다.

동위원소를 이용하여 뼈 스캔 사진을 찍어 전이 여부도 관찰해야 한다. 때로는 PET 등의 특수 검사를 하는 경우도 있다.

이러한 정기검진으로 유방암 재발을 초기에 발견하면 치료도 비교적 쉬우며 재발한 암이라 할지라도 예후도 좋은 편에

속해 생명에 지장을 주지 않을 수 있다.

다음은 유방암 재발에 대한 치료 방법이다.

국소 재발

유방암 재발은 크게 수술한 유방 주위에서 생기는 국소 재발과 유방 외의 다른 장기에서 생기는 전신 재발, 즉 전이성 재발로 나눈다.

이 중 국소 재발은 5년 이내에 발생하는 것이 대부분으로 전체 국소 재발 가운데 80~90%를 차지한다. 나머지 경우는 10년 이내에 발생하는데 드물게 처음 수술 후 15~20년이 지난 뒤에 발생하는 경우도 있다.

또한 국소 재발 환자의 25~30%는 이미 원격 전이를 동반할 가능성이 많으며, 원격 전이가 재발 당시 발견되지 않았다 해도 국소 재발 후 25%에서 수개월 내에 다른 원격 전이가 발견되는 것으로 나타났다.

이러한 국소 재발은 가능하면 외과 수술로 절제하는 것이 좋은데, 수술 외에도 항암 화학요법, 방사선치료 등을 시행할 수 있다.

참고로 처음 치료를 하고 재발하기까지의 기간이 긴 경우, 재발한 종양이 수술로 절제 가능한 경우, 처음 진단 당시 겨드랑이 림프절에 침범이 없는 경우 등의 국소 재발은 치료 후 예후가 좋은 편이다.

전이성 재발

유방 외의 다른 장기에서 암이 재발하면 전이성 재발이라고 한다. 이러한 전이성 재발은 국소 재발과 함께 나타나는 경우가 많지만 때로는 국소 재발 없이 전이성 재발로만 확인되는 경우도 있다.

전이성 재발은 무조건 유방암 4기에 해당한다. 따라서 치료가 어렵고 예후도 좋지 않다. 일반적으로 유방암 진단을 처음 받은 환자가 나이가 어린 경우, 초기 종양의 크기가 컸던 경우, 광범위한 겨드랑이 림프절의 침범이 있었던 경우, 진행된 병기를 보였던 경우 등에서 전이성 재발이 많은 것으로 보고되고 있다.

또한 전이 장소로는 뼈에 전이되는 경우가 가장 많고 그 다음으로는 폐, 간, 중추신경계 등의 순서다. 다양한 치료 방법을 동원해 치료를 시도한다.

13

유방 상실 고통을 줄여 주는 유방 재건술

유방암 수술 뒤에 본인과 남편에게 유방 상실로 인한 고통을 줄여 주는 방법 중 하나가 성형외과적으로 유방을 복원하는 유방 재건술이다. 유방 재건술에는 여러 가지가 있으며 환자 상태에 따라 가장 적합한 방법을 선택한다.

암은 환자 혼자만의 힘으로는 이겨 내기 힘든 병이다. 육체적인 고통 외에도 심리적인 타격이 크기 때문에 가족들의 애정과 보살핌이 환자를 지탱해 주어야만 환자가 적극적으로 암 치료에 임할 수 있다. 특히 유방암 환자는 남편의 이해와 사랑이 꼭 필요하다. 유방 손실로 인한 환자의 상실감은 환자 혼자만의 힘으로는 이겨 내기 힘들기 때문이다.

실제로 많은 여성 유방암 환자들이 유방암 치료보다 유방 상실을 받아들이는 과정이 더 힘들었다고 이야기한다. 이를 염두에 두고 남편은 여성인 부인의 입장에서 생각하여 유방을 상실한 부인의 마음과 행동을 이해하려는 자세를 가지고 사랑으로 포용하며 함께 극복해 나가려는 마음가짐을 가져야 한다.

환자 역시 유방의 상실이 혼자만의 문제가 아닌, 남편과 함께 나누어야 하는 문제임을 인식해야 한다. 여성 환자만큼은 아니겠지만 남편 입장에서도 부인의 유방 상실은 쉽게 익숙해지는 문제가 아니다. 때문에 당황한 나머지, 혹은 어떻게 행동해야 부인에게 상처를 주지 않을지 알 수가 없어 혼란스러워하기도 한다. 이러한 남편의 입장을 생각해 볼 필요가 있다.

이러한 전제하에 유방 상실로 오는 고통을 줄여 주는 방법 중의 하나가 유방 재건술이다. 유방 재건술이란 성형외과적인 방법으로 유방을 복원하는 수술이다. 유방암의 병기나 암의 위치상 유방 보존술을 시행하지 못하고 유방을 전 절제한 경우에도 유방 재건 수술을 통해 유방의 형태를 보존할 수 있으므로 유방을 상실했다는 고통에서 벗어나는 데 많은 도움이 된다.

유방 재건술에는 여러 가지가 있다. 실리콘 백과 조직 확장기를 이용한 인공 삽입물을 사용하는 방법, 환자 몸의 조직을 이용하여 유방을 재건하는 방법 등이 있는데, 각각 장단점이 있다. 유방의 크기, 남아 있는 피부 상태, 환자의 동반 질환 등에 따라 가장 적합한 방법을 선택하여 유방 재건술을 시행한다.

참고로 최근에는 유방암 수술과 유방 재건술을 동시에 하기도 하는데, 유두와 유륜의 재건은 유방 재건과 함께 시행하기도 하고 3개월 이후에 시행하기도 한다.

다음은 여러 가지 유방 재건술이다.

조직 확장기를 이용한 유방 재건술

조직 확장기로 유방에 단계적으로 식염수를 주입하여 피부 조직을 확장한 뒤 실리콘 백 등의 인공 보형물을 삽입하는 방법이다. 보통 식염수를 주입하여 피부를 확장한 뒤, 3~6개월 뒤에 인공 보형물을 삽입한다.

환자의 유방과 동일한 피부를 이용하고 수술이 비교적 간단하다는 장점이 있다. 하지만 3~6개월간 주기적으로 병원을 방문하여 피부를 확장해야 하고, 수술을 두 번 해야 하는 단점이 있다.

이러한 조직 확장기를 이용한 유방 재건술은 피부와 흉부 근육이 건강하며 유방암으로 유방 전절제를 한 경우 흔히 사용한다.

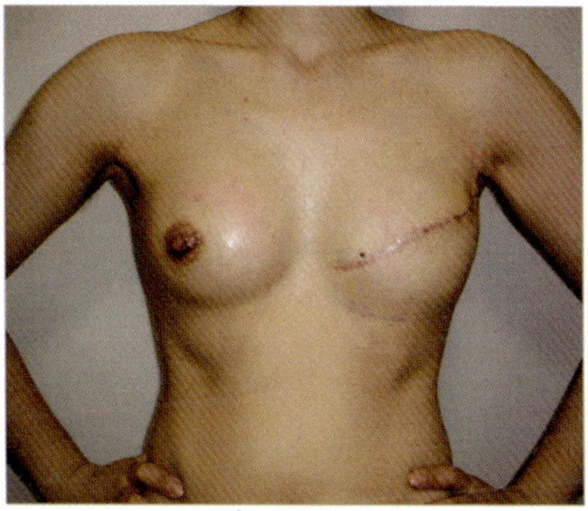

그림 15. 조직 확장기를 이용한 유방 재건

환자 자신의 신체 조직을 사용하는 유방 재건술

환자 자신의 근육과 피부를 다른 부위에서 옮겨 와 유방을 재건하는 피판술이다. 이 방법은 자연스럽고 좋은 감각의 유방을 만들 수 있을 뿐 아니라, 이물질을 삽입하는 것이 아니기 때문에 이물 반응이 없고 방사선치료에 대해서도 내구성이 있는 장점이 있다.

그러나 수술 시간이 길고 재건술을 위해 사용한 복부 근육이 약화되는 등 수혜부 부위의 반흔과 부작용이 발생할 가능성 등이 단점이다.

보통 복직근을 포함한 복부 조직, 광배근을 포함한 등 조직, 엉덩이 근육을 포함한 엉덩이 조직을 주로 사용한다.

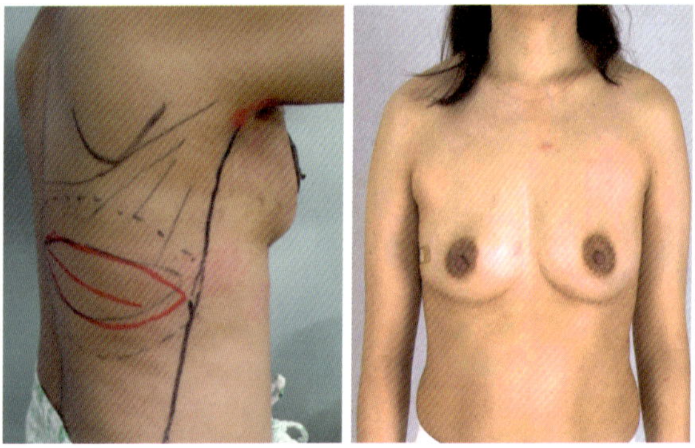

그림 16. 등 근육을 이용한 유방 재건

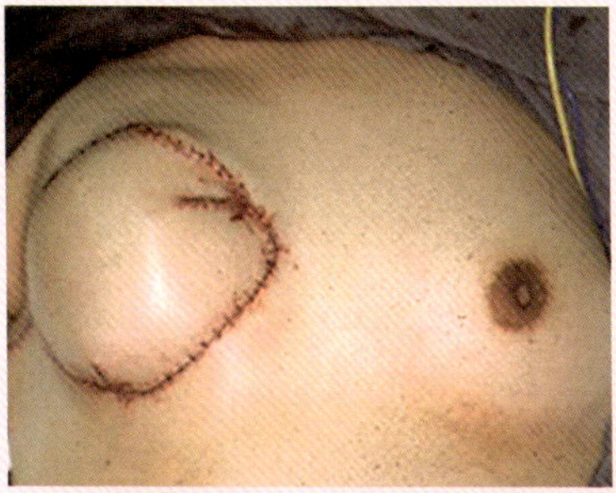

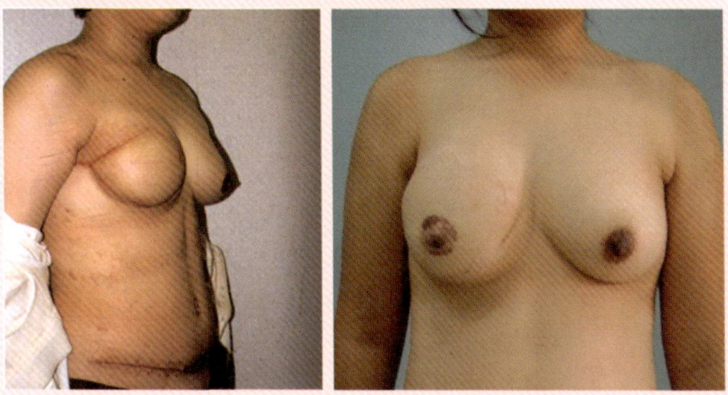

그림 17. 복부 근육을 이용한 유방 재건

14

유방암 예방과 건강 관리

규칙적인 운동과 적당량의 식사, 그리고 스트레스의 적절한 해소, 이 모두가 건강한 삶을 지키는 요소이듯이 유방암 수술 뒤에도 균형 잡힌 생활 습관이 필요하다. 좋은 생활 습관을 지키는 것은 인체의 면역 능력을 높여 주고 질병으로부터 지켜 준다.

예방을 위한 건강 관리

아직까지 유방암을 예방하는 특별한 방법은 없다. 다만 유전 요인을 제한다면 호르몬과 관련한 일련의 과정들이 유방암을 일으키는 가장 중요한 인자들로 밝혀졌다. 이 위험 인자의 50% 이상은 음식과 관련이 있다.

이는 어린 나이에서부터 영향을 준다. 즉 이른 나이에 갑자기 성장하고 초경 시기가 이르면 유방암 위험이 높아진다. 채식을 많이 하고 술을 삼가고, 적당한 체중을 유지하고, 적절한 운동을 하면 유방암을 30% 이상 예방할 수 있다. 하지만 이런 식단과 생활 습관은 사춘기 이전에 시작하고 평생 지속되는 경우에야 효과가 있다. 그렇기 때문에 성인이 된 뒤에는 적당한 체중을 유지하고, 운동을 많이 하고, 지방과 육류의 섭취를 줄이는 것이 도움이 된다.

환자들로부터 무슨 음식을 먹어야 하며, 어떤 음식을 피해야 하는지에 대한 질문을 가장 흔하게 받는다. 그러나 의사로서 해 줄 수 있는 구체적인 답은 없다. 어떤 사람은 아예 채식만 한다거나 특정 식이 요법을 택하기도 하지만, 무엇이든 극단적인 방법은 좋지 않다. 오히려 지방질이 총 칼로리에 25% 정도 포함된 조화로운 식단이 적절하다.

동양인이 많이 섭취하는 콩에 함유된 식물성 에스트로겐이 유방암을 예방하리라고 추측하기도 한다. 따지고 보면 우리가 일상 먹는 재래식 식단이 건강에 좋다. 최근에 지나치게 서구화한 음식과 생활 방식을 고치면 된다.

정리하자면, 전체적으로 야채나 콩, 과일 등의 섭취를 늘리고 육류는 30% 정도로 하여 조화롭고 맛있는 식단을 짜서 과체중을 막고 즐겁게 지내면 전체적으로 건강하게 살 수 있으며 암을 비롯한 여러 가지 질병을 예방할 수 있다.

유방암 수술 뒤 건강 관리

규칙적인 운동과 적당량의 식사 그리고 스트레스의 적절한 해소, 이 모두가 건강한 삶을 지키는 요소이듯이 유방암 수술 뒤에도 이런 균형 잡힌 생활 습관이 필요하다.

굳이 의학적으로 이유를 들지 않아도 좋은 생활 습관은 인체의 면역 능력을 높여 주고 질병을 막아 준다. 음식은 골고루 적당량을 섭취하며 특별히 가릴 것은 없으나, 암에는 식물성 콩 단백이 좋다고 알려져 있다.

콩에 있는 식물성 에스트로겐이 체내에 섭취되면 유방암의 촉진 인자인 체내 에스트로겐이 길항적으로 억제되어 유방암의 위험 인자가 그만큼 영향력을 잃는다. 그래서 유방암 수술 뒤에 음식물을 섭취할 때에는 대두를 넣은 콩밥과 두부의 섭취를 권장한다.

유방암 수술 뒤 운동

유방암 수술 뒤에는 오십견, 임파 부종, 통증 등이 오기도 한다. 또한 항암 치료 시 운동량이 감소하여 몸무게가 증가하고 에너지가 감소하기도 하기 때문에 적절한 운동이 필요하다.

특히 유방암의 수술 뒤에 운동은 ① 근육 소실을 예방하고, ② 관절의 기능을 강화시키며, ③ 림프 순환을 증가시키고, ④ 몸무게를 조절할 수 있다.

수술 뒤에 할 수 있는 운동에는 크게 스트레칭, 유산소 운동, 근력 운동이 있는데, 특히 스트레칭은 수술 뒤에 오는 통증, 관절 가동 범위 제한, 부종을 예방하고 호전시키는 데 중요한 역할을 한다. 또한 스트레칭은 근육과 관절을 부드럽게 하고 근육 손상을 예방하며, 수술과 방사선치료 뒤 발생할 수 있는 유방 밑에 위치한 앞가슴 근육의 단축과 그로 인한 근육통, 오십견 등에 도움을 주고 림프 부종과 정체를 예방할 수 있다.

운동은 점진적으로 강도를 높여야 하며 통증이 있거나 피곤하지 않도록 조절해야 한다. 동작은 천천히 시행하고 시작하기 직전에 숨을 들이쉬고 동작 중에는 숨을 참거나 내쉬는 게 좋다. 반동을 사용하지 않고 동작이 완성된 시점에서 짧게라도 동작을 유지하도록 한다.

수술 후 첫째 날에 하는 운동; 1~3번을 한다.

셋째 날 이후에 하는 운동; 1~6번을 한다.

수술 후 10~14일부터 3개월에 하는 운동; (1~11번을 한다〔5~10분씩〕+팔 올리기를 연습한다)하루 2~3회 실시한다.

수술 후 한 달에 하는 운동; 12, 13번을 시작한다(유방 재건 수술은 3개월 뒤 시작한다).

Hospital Memo

행복한 유방암 환자 부부를 위한 지침

남편을 위한 지침

❶ 묵묵히 들어 준다. ❷ 유방암 자가 진단법을 익혀 진단을 도와준다. ❸ 병원에 같이 간다. ❹ 부부 관계를 기피하는 아내를 이해하되, 사랑의 표현을 아끼지 않는다. ❺ 가사 노동이나 자녀 교육의 부담을 덜어 준다. ❻ 아내를 안아 주고 웃게 한다.

아내를 위한 지침

❶ 남편의 행동과 말투에 속단하고 상처받지 않는다. ❷ 자신의 상황을 이해해 줄 친구를 만든다. ❸ 남편에게서 삶의 희망을 얻고 있음을 표현한다. ❹ 매일 아침마다 '잘 해내고 있다'고 자신을 격려한다. ❺ 생활 방식을 변화시킨다. ❻ 주치의와 상담하고 그의 권고를 100% 따른다.

2007년 한국유방암학회 발표 〈행복한 유방암 환자 부부를 위한 지침〉

❶ 손목 돌리기

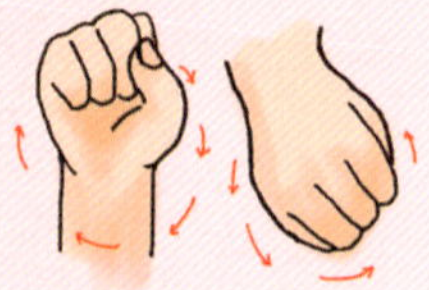

❷ 주목을 쥐었다 폈다 하기

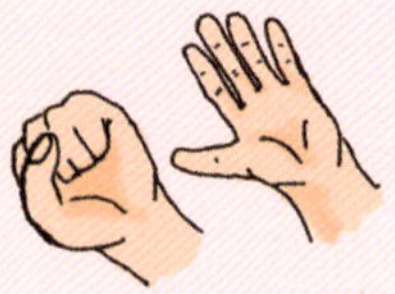

❸ 손가락 움직이기

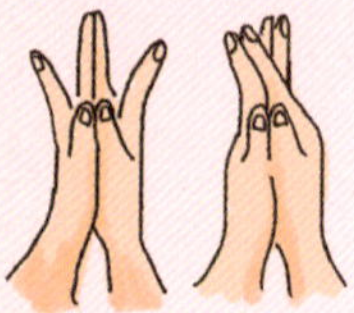

❹ 고개를 좌우로 돌리기

❺ 고개를 좌우로 움직이기

❻ 팔꿈치를 굽히기

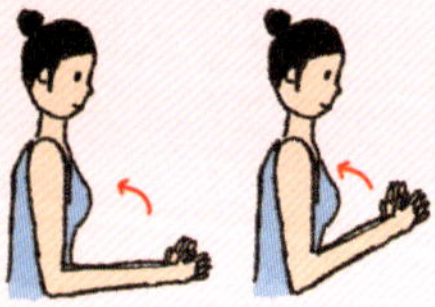

❼ 팔을 양옆으로 하고 손바닥을 위로 아래로

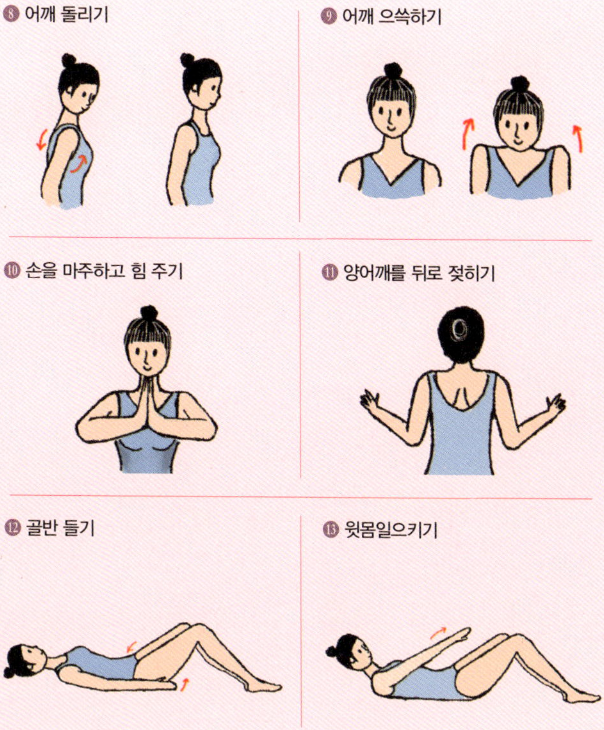

그림 18. 수술 뒤에 운동하기

15

유방암 환자 수술 성공 수기

– 유방암 환자였던 이병림의 수기

북한산에서 히말라야까지

일상생활에서 히말라야의 설산을 보거나 또는 누군가가 히말라야의 어느 봉우리를 정복했다는 소식을 매스컴을 통해서 가끔 전해 듣기만 할 뿐, 히말라야와는 전혀 무관한 듯 살아왔다. 그러던 우리 유방암 환우들의 가슴에서 히말라야에의 싹은 어떻게 틔워졌을까.

유방암 진단을 받은 뒤, 병원에서 실시하는 각종 교육을 받을 때마다 의사선생님들이 유방암 치료를 위해 여러 가지를 권고했는데, 그중 특히 나에게 각인되었던 것이 있었다. "환우들의 자조모임에 참여하라", "종교를 가져라" 등이었다.

내가 유방암 3기 진단을 받았던 2001년 가을은 지금처럼 그물망 같은 여러 가지 교육 시스템이 갖추어지기 전이라 나는 유방암에 대한 각종 정보에 목마르고 동병상련을 함께할 환우가 무척이나 그리웠다. 그러다가 만나게 된 유방암 환우 모임인 '비너스회'는 허허벌판 사막에 있던 내게 오아시스처럼 다가왔다.

비너스회에서 환우들과 함께하며 각자 치료 과정을 어떻게 견디어 냈는지, 무엇을 먹었는지, 자꾸만 우울해지는 마음은 어떻게 극복했는지 등등 각자의 무용담을 이야기하면서 마음을 나누었다. 그랬더니 놀랍게도 괴로움은 반으로 줄었고, 기쁨은 몇 배로 키워졌다. 운동과 식이 요법 등 함께 나누어야 할 부분이 많았기에 민간인 친구보다는 자연스럽게 환우들과 함께 하는 시간이 많아졌다.

환우들과 강도 높게 등산을 한 뒤에 숲속 휴양림에서 맛난 음식과 향기로운 차를 마시며, 유방암에 걸린 뒤 소리 없이 다가온 우울증을 서로 토해 냈고, 유방암이 다른 장기로 전이되어 몇 년째 항암 치료를 받으면서 신체적으로 정신적으로 쏟아지는 고통들도 밖으로 내어놓으면서 무게를 조금씩 덜어 낼 수 있었다. 우리 자신들의 건강을 위하여 시작한 산 오르기는 봄, 여름, 가을, 겨울 구분 없이 사계절 북한산에서부터 멀리 백두산에서 한라산까지 끊임없이 이어졌다.

유방암 환우들이 모인 '한국유방암환우회 합창단'은 암 환우들에게 희망을 주기 위하여, 무서운 '암'에 대한 경각심을 깨

우쳐 주기 위하여, 여러 가지 이유로 이런저런 무대에 섰다. 수 년 동안 우리들은 이렇듯 연주회를 하면서 유방암 이전보다 훨씬 더 깊고 넓은 또 다른 세상과 만났다. 이제 암 환우라는 사실조차도 잊은 듯했다.

우리들이 독한 항암 치료 과정을 겪은 뒤 세상살이에 자신감을 얻고, 그렇게 터득한 자신감으로 또 힘든 일을 겪고 또 다른 어려운 일에 도전해 보고 싶어지는 마음이 히말라야에의 도전으로 이어졌던 것은 어찌 보면 당연한 귀결이 아니었을까.

2011년 봄, "우리 히말라야에 가 볼까" 하고 한유회합창단에서 나왔던 한마디는 그해 봄 유방건강재단과 (주)아모레퍼시픽의 사업 공모에 제출했던 '히말라야에의 도전장'으로 덜컥 이어졌다.

게다가 긴 여정을 함께할 수 있으리라고는 상상조차 못 했던 노동영 박사님께서 흔쾌히 가시겠다고 하시는 바람에 누가 말릴 겨를도 없이 히말라야행은 일사천리로 진행되어 버렸다.

한유회 합창단원 아홉 명이 최종 선발되었고 몇 번 코스를 수정한 끝에 이름도 멋진 히말라야 '랑탕-코사인쿤드' 14일간의 일정이 결정되었다.

몇 달 동안 등반 대원 아홉 명이 전지 훈련을 함께하며 팀워크를 다지고, 히말라야를 오르기 위한 장비를 장만하고, 그렇게 우리는 봄부터 가을까지 꿈에 그리던 히말라야에의 전의를 불태웠다.

14일간 4,000~5,000m의 여러 봉우리를 오르내리며 항암 치료 고통과 비슷한 고산병의 고통을 겪기도 하고, 사계절이 공존해 있는 '신의 정원'에서 아름다움에 감동하며 이런 날들을 맞이할 수 있게 해 준 나 자신과 가족, 나아가 주위사람들에게 느끼는 감사함으로 고개를 숙이기도 하였다. 등반을 함께 했던 9명 중에는 산을 오르던 중, 온몸에 쥐가 심하게 일어나 고통을 겪기도 했고, 고산증으로 세상 그 어떤 고통과도 비교할 수 없는 고통을 겪기도 했다.

5,003m의 체르코리를 오르던 날, 새벽 다섯 시부터 시작된 산행이 걸어도 걸어도 끝날 것 같지 않았다. 하지만 그 긴 산행도 밤 열 시가 되자 끝이 났다. 히말라야의 별이 쏟아져 내리던 그날 밤, 잠자리에 누워도 몸은 젖은 솜처럼 무거웠지만, 그 긴 시간을 견디어 냈다는 대견함과 감사함으로 마음은 솜털처럼 가벼웠다.

우리들이 흔히 빨간약(아드리아마이신)이라고 부르는 항암제를 맞을 때도 그랬다. 머리부터 발끝까지 온몸의 세포 하나하나가 폭발해 버릴 것 같은 고통으로 하얀 밤을 지새울 때는 영원히 계속될 것 같았던 고통의 순간들도 일주일쯤 지나고 나면 언제

그랬냐는 듯 고통도 사라지고 잃었던 식욕도 다시 돌아오곤 했다.

우리들 인생도 그렇지 않을까. 행복한 순간도 그리 오래 지속되지 않듯이, 영원할 것 같은 고통의 시간 또한 반드시 그 끝이 있다는 것을 히말라야의 긴 여정은 나에게 다시 한 번 가르쳐 주었다. 히말라야에서 돌아온 뒤 꼬박 1년이 지난 2012년 10월 히말라야 이야기와 우리들의 유방암 치료 과정에서의 이야기들을 엮은 책 《핑크 히말라야》가 출간되었다. 이 책은 '암'이라는 어둠 속을 지나 히말라야로 먼 길을 떠났던 우리 아홉 명 환우들이, 질병으로 힘든 이들과 어쩌면 더 힘든 싸움을 하고 있을 그 가족에게 조그마한 위로가 되었으면 하는 바람으로 만들었다.

나는 이제 유방암 수술을 받은 지 11년이 지났다. 수술을 받던 무렵은 오랜 직장 생활을 접고, 새로운 직업으로의 꿈을 펼쳐 보려고 동분서주하던 때였다. 유방암 3기라는 진단을 받고 치료의 길로 접어들면서 그 꿈은 자연스레 접었다. 11년 전, 환우 교육 시간에 '3기의 5년 생존율은 65%'라고 쓰여 있던 화면이 지금도 눈에 선하다. 그때 5년, 10년을 넘긴 선배 환우들을 바라볼 때면 존경심을 넘어 경이롭기까지 했다. 의사선생님들의 권유대로 유방암 환우들의 모임인 비너스회에 나가고, 해를 거듭하면서 모임 안에서 자연스럽게 봉사도 하였다. 봉사하면서 절절한 눈망울의 새카만 후배들을 만날 때면 나의 유방암 3기는 하나의 훈장이 되어 그들을 위로하곤 했다.

비너스회 선배들의 권유로 유방암 환우들로 구성된 한유 회합창단에도 나가면서 언제나 나 홀로 듣기만 했던 음악이 내 입에서 흘러 나와 또 다른 환우들에게 위로가 되고 그 위로가 홀씨가 되어 더 많은 이들에게 감동을 주곤 한다. 우리들의 힘으로 커다란 무대를 만들어 연주를 하고, 합창으로 유방암 의식 향상 캠페인에도 적극 동참하고 있다. 다가오는 5월에는 같은 유방암 3기여서 오랜 세월 인연을 맺고 있는 홍콩 여성 한인회 회장과 함께 홍콩에서 그곳 유방암 환우들과 멋진 합창 무대를 펼칠 계획이다.

유방암 이전에 꿈꾸던 삶의 방향과는 전혀 다른 길을 가고 있지만, 내 인생에 유방암이 들어오지 않았다면 환우들과 함께 하고 있는 이 생활보다 더 멋지고 아름다운 삶의 길로 걸어 갈 수 있었을까.

16

Q&A
유방암에 대한 궁금증 22가지

Q 모유를 먹인 여성은 유방암에 걸릴 확률이 적은가?

A 현재까지 동양인과 서양인을 대상으로 한 수유와 유방암 발생 위험에 대한 수십 편의 연구 보고가 있었으나, 주장은 두 가지로 나뉜다. 일부에서는 수유가 유방암 발생률을 떨어뜨린다고 주장하는 반면, 일부에서는 이를 인정하지 않고 있어 여전히 논란이 되고 있다.

Q 경구 피임제는 유방암 발생과 관계가 있나?

A 경구 피임제 또는 폐경 이후 에스트로겐 복용이 유방암의 위험성을 증가시키는지에 대하여 아직 명확히 단언할 수는 없다. 하지만 헨더슨은 경구 피임제가 유방암 위험성을 2배 정도 높인다고 보고하였다. 또한 다른 여러 보고에서도 경구 피임

제를 8년 이상 사용할 때 약 1.7배나 위험도가 높아지며, 10년 동안 사용할 때 약 4.1배 상승한다고 보고하고 있다. 그러나 경구 피임제 사용과 유방암이 발생하는 시기와 기간에 대한 상관관계는 아직 뚜렷이 밝혀지지 않았으며, 최근 젊은 여성들이 많이 사용하는 저용량 경구 피임제에 대한 위험도도 아직 불확실하므로 좀 더 추적 연구가 필요하다.

Q 식품으로 여성 호르몬을 흡수하는 것이 좋은가, 나쁜가?
(콩이나 석류 등으로 에스트로겐 전구체를 섭취하는 것)

A 섭취하는 용량과 형태에 따라 다르겠지만, 보통 과일이나 음식으로 먹는 것이 가장 좋다. 약품으로 된 것을 과량 복용하면 여러 가지 부작용이 따르기 때문이다.

여성 호르몬을 함유하고 있는 대표적인 식품으로는 석류, 콩, 과일, 야채류, 해조류, 해산물이 있다. 석류에 들어 있는 에스트로겐과 하이글루논산이 여성 호르몬을 증가시키며, 콩에 들어 있는 이소플라본은 에스트로겐과 비슷한 성질을 가지고 있기 때문에 여성 호르몬과 같은 작용을 한다. 이러한 콩은 그 자체를 먹기보다 가공 식품이나 두부, 두유의 형태로 섭취하는 것이 영양소가 인체에 빨리 흡수된다.

Q 임신 중 유방 검진은 어떻게 하나?

A 임신한 모든 여성들이 유방 검진을 받아야 하는 것은 아니다. 임신하지 않은 여성에게 나타나는 유방암 증세들이 임신 중에도 마찬가지로 나타나나, 임신으로 인한 유방의 변화 때문에 이러한 증세들을 알아차리기 어렵다. 그래서 병의 발견이 늦어지는 경우가 많다. 하지만 흔하게 발생하는 병이 아니기 때문에 모든 임산부들이 검사를 받을 필요는 없다. 무엇보다도 촉진성 종물이 점점 커지거나 딱딱해지거나, 혈성 분비물 등이 있을 때는 반드시 전문가의 검진을 받아야 한다. 주로 의사의 촉진, 초음파 검사 등을 실시하며, 이상이 있을 경우 태아에 아무런 영향 없이 조직 검사를 실시할 수 있다.

Q 유방 성형을 하면 유방암이 더 잘 생기는가?

A 일반적으로 유방 성형을 하면 유방암이 더 잘 생기고, 유방암 발견이 어렵다고 생각하는 경우가 많으나 미국 국립 보건원이 13,488명을 대상으로 한 연구와 덴마크에서 3,400명의 환자를 대상으로 한 연구 결과를 보면 차이가 없다. 가슴 확대 수술을 한다고 해서 유방암이 더 잘 생기는 것은 아니다. 다만, 보형물을 넣으면 유방암 검진이 좀 힘들어질 뿐이다.

Q 유방암은 유전되나? 유전된다면 확률은 어느 정도인가?

A 직계나 2대에 걸쳐 부모나 친척 중에 유방암에 걸린 가족이 있는 사람은 유방암에 걸릴 위험성이 확실히 높다. 어머니나 자매가 유방암에 걸렸을 경우 유방암 발생 위험도는 1.5~3.0배로 상승한다. 그리고 발생 위험도는 폐경기 전 양쪽 유방 모두에 생긴 유방암이 가장 높다. 미국 통계에 따르면 약 70% 환자가 가족 중에 유방암 병력이 있으며, 전체 유방암 중 약 5%가 유전성 유방암이다. 유전성 유방암은 비교적 젊은 나이에 유방암이 발생하며 상염색체 유전을 하므로 이들의 자녀 중 약 50%가 유방암에 걸린다.

Q 자신에게 적절한 치료 방법은 어떻게 찾나?

A 환자나 가족들은 질병과 질병의 치료 방법, 예후 등의 정보를 아는 것이 매우 중요하다. 그러나 십 년 이상 의학을 공부하고 오랫동안 환자를 진료한 의사에게도 쉽지 않을 정도로 치료 방법을 결정하는 것은 매우 전문적인 분야이다. 그러므로 담당 의사를 정하여 상의하면서 결정하는 것이 중요하다.

요즘은 인터넷의 발달로 일반인들도 손쉽게 의학 정보를 얻을 수 있다. 물론 질병에 대해 정보를 얻고 아는 것은 중요하다. 그러나 인터넷으로 얻는 자료들은 말 그대로 참고 자료일 뿐이다. 정보가 너무 방대하여 어느 정보를 자신에게 적용시킬지 어려울 뿐만 아니라 믿을 만한 정보도 있는 반면, 아직 입증되지 않은 정보도 많다. 무엇보다 담당 의료진에게 자신의 질병 상태에 대해 설명을 듣고 치료 계획을 상의하는 것이 중요하다.

Q 유방암에 걸리면 무조건 가슴을 제거하나?

A 꼭 그렇지는 않다. 유방암 치료에서 수술은 가장 기본적이고 중요한 필수적인 치료 방법이며 여러 가지 신약과 방사선 기술들이 개발되고 있지만 아직 수술을 대체할 수 있는 치료 방법은 없다. 그러나 병기나 위치에 따라 유방 보존술을 시행하여 유방 형태를 보존할 수도 있고 전 절제를 하더라도 유방 재건 수술을 통해 유방 형태를 보존할 수도 있다.

Q 출산을 많이 하면 유방암에 걸릴 확률이 떨어지나?

A 만삭 분만으로 출생한 자녀가 많으면 많을수록 유방암 발생률이 감소하는 경향이 있다. 출산력과 첫 출산 연령도 호르몬과 관련한 위험 인자이다. 출산력이 없는 여성은 출산 경험이 있는 여성에 비하여 유방암 발생 가능성이 1.4배 더 높다.

우리나라의 여성들을 대상으로 실시한 연구 결과를 보면 과거에 만삭 분만을 경험한 여성들은 분만을 하지 않았던 여성들에 비해 유방암 발생률이 0.6배로 위험률이 낮았고, 첫 만삭 분만 시 연령이 30세 이후로 늦으면 늦을수록 위험도가 증가하는 경향이 뚜렷했다.

Q 유두에서 분비물이 나오는 이유는 무엇인가? 그리고 분비물 색 등을 보고 의심해야 할 증상은 무엇인가?

A 유두 분비는 유방 종괴 다음으로 흔한 증상이다. 많은 환자들이 유두 분비가 있을 경우 유방암을 의심하고 걱정하지만 유두 분비가 있는 환자 중 일부만 악성 질환과 관련 있으며, 전체 유방암 환자의 1%가 유두 분비 증상이 있다. 수유기가 아닌 여성에게 유두에서 유즙과 유사한 분비물이 나오는 경우를 유즙 분비 과다라고 한다. 유즙 분비 과다는 대부분 생리적인 현상이므로 크게 걱정할 필요 없이 지켜보면 된다.

그러나 많은 양의 유즙 분비가 오래 지속되고 무월경이나 시야 장애 등의 다른 증상과 함께 나타나면, 뇌하수체 선종이 의심되므로 검사해 본다. 유즙이 아닌 다른 성상의 분비물이 나오면 유방 전문의의 진료를 받아 유방암이나 다른 양성 종양이 있는지 확인하는 것이 좋다. 유두에서 피가 분비되는 혈액성 유두 분비의 대부분은 관내 유두종 등 양성 질환 때문이지만, 일부는 유방암 증상 때문에 나타날 수도 있다. 일반적으로 양측 유두에서 유두 분비가 있다면 양성 질환 때문인 경우가 훨씬 많다.

Q 유방암 절제술을 받았는데 왜 손가락과 어깨, 발이 저리고 무릎이 아플까?

A 수술 때문에 아픈 것보다는 항암제 치료로 인해 말초신경이 손상을 받아 그런 경우가 많다. 물론 수술로도 어깨 통증이 올 수 있는데, 어깨 통증을 예방할 수 있는 가장 좋은 방법은 수술 뒤에 적절한 어깨 운동을 열심히 하는 것이다.

Q 유방암 절제술 이후에 운전할 수 있나?

A 당연히 할 수 있다. 유방암 수술을 받을 때 겨드랑이 림프절 절제술로 인해 어깨 운동 장애나 림프 부종이 생길 수 있어 운전에 약간 지장은 있다. 그러나 최근에는 수술 방법이 많이 개선되어 겨드랑이 림프절을 전체 절제하는 곽청술은 림프절 전이가 있는 환자에게만 실시하기 때문에 50~60%의 환자가 곽청술을 받지 않는다. 이런 경우에 운동장애는 극히 드물다. 수술 이후에 적당한 활동과 운동은 회복에 도움이 된다. 운전은 일상 활동이므로 대부분 지장이 없다.

Q 배액 주머니는 무엇이고 수술 후 언제까지 착용하나?

A 배액 주머니는 수술 부위에 피나 림프액이 고이지 않게 하기 위해 삽입하는 것으로, 통상적으로 배액 주머니에 고이는 분비물 양이 24시간 동안 30~50cc 정도로 줄면 제거한다. 배액량이 줄지 않으면 배액 주머니를 가지고 퇴원할 수도 있다. 수술 범위는 겨드랑이 림프절의 제거 정도, 비만, 수술 전 치료 등에 따라 다르다. 배액 주머니를 제거한 뒤 수술 부위에 다시 분비물이 고이면 의사의 진찰 후 다시 배액관을 삽입하거나 주사기로 분비물을 뽑아낸다.

Q 수술 후 겨드랑이 부분이 저려서 불편한데 림프절을 복구할 수는 없는가?

A 유방암 수술 후, 특히 겨드랑이 림프절 절제술을 시행한 경우에는 겨드랑이 부분에서 저린 감을 느낄 수 있다. 겨드랑이 림프절을 제거하는 과정에서 이 부위의 감각 신경이 잘리면서 나타나는 경우이므로 시간이 지나면 대부분 좋아진다. 잘려 나간 림프절을 복구할 수는 없지만 림프관은 우회 도로가 생겨나 림프액이 다른 통로로 순환된다.

Q 팔이 잘 안 올라갈 때는 어떻게 해야 할까?

A 수술 후 팔이 잘 올라가지 않을 때 어떤 운동을 해야 하는지 물어 보는 경우가 많다.

수술 후 가장 어려운 동작은 수술한 쪽 팔을 옆으로 반듯하게 올리는 것이다. 왜냐하면 수술 부위가 가장 많이 땅겨질 수 있는 동작이어서 통증이 느껴지고, 상처 부위가 덧날까 봐 겁이 나기 때문이다. 팔이 잘 올라가지 않을 때에는 팔 주위의 근육을 우선 이완시켜 주는 것이 좋다. 또한 가볍게 마사지를 해 준다든지 따뜻한 물로 샤워를 하거나 통 목욕을 한 뒤 팔을 올리면 통증을 보다 적게 느끼면서도 운동이 잘된다.

Q 수술 후 팔이 아플 때에는 어떻게 운동을 해야 하나?

A 수술 후 팔이 아플 때에도 운동을 해야 하는지 많이 묻는다. 운동을 너무 많이 하거나 반대로 너무 적게 해도 통증이 나타날 수 있다. 따라서 통증이 있다고 해서 무조건 운동을 멈추어야 하는 것도, 무조건 열심히 해야 하는 것도 아니다. 만약 통증이 지속된다면 진료를 받아 문제가 있는지 알아보아야 하며, 특별한 이상이 없는데도 팔에 통증이 있다면, 운동을 더 늘려서인지 운동을 줄여서인지 살펴보아야 한다. 그리고 환자의 팔 상태에 맞는 운동을 하고 향후 조금씩 운동 횟수와 강도를 증

가시킨다.

Q 비만하면 유방암에 잘 걸리고, 재발률도 높은가?

A 소아기의 비만은 초경을 일찍 하는 원인이 되고, 유방암의 위험 요소 중 하나인 큰 키와 연관되므로 유방암의 위험도가 높아진다. 또한 18세 이후에 체중 증가 폭이 클수록 폐경 후 여성들의 유방암 발생이 높아진다. 폐경 전 여성들은 비만과 유방암의 관계가 확실하지 않으며, 서양은 오히려 과체중 여성들의 유방암 발병률이 낮다고 보고되었다. 폐경 후 여성 중 비만 여성들의 혈중 에스트로겐 농도가 정상 체중인 여성에 비해 두 배 정도 높게 측정되는데, 이것은 지방 세포에 함유된 에스트로겐의 전구체인 안드로스텐디온이 에스트로겐으로 전환하기 때문이다.

Q 유방암 수술 환자가 특별히 가려야 할 음식이나 또 섭취하면 좋은 식품은 무엇인가?

A 일반적으로 음식물은 굉장히 복잡한 필수 영양분과 여러 성분들의 혼합물이고, 각각의 성분들은 유방암 위험도에 복합적으로 작용할 수 있으므로 음식 자체의 위험도나 유익성을 연구하는 데는 한계가 많다. 신선한 과일과 야채가 유방암 위험도

를 낮춘다는 연구 결과가 있으며 특히 녹색 채소가 도움이 된다고 하였다. 콩의 성분인 피토에스트로겐은 유방암의 촉진 인자인 체내 에스트로겐을 길항적으로 억제하여 유방암에 도움이 된다. 버터, 마가린, 비계와 같은 지방 성분을 많이 섭취하면 유방암 환자의 생존율을 낮춘다고 하며, 가금류·생선·유제품 등의 단백질 섭취는 유방암 환자의 예후를 좋게 한다고 한다.

Q 대부분의 암 환자에게 버섯 종류로 만든 차나 음식이 좋다고 하는데 사실인가?

A 유방암에서 버섯의 유용성에 대한 신뢰성 있는 연구 결과는 없다.

Q 암 치료 뒤 건강 관리는 어떻게 하나?

A 규칙적인 운동과 적당량의 식사 그리고 스트레스의 적절한 해소, 이 모두가 건강한 삶을 지키는 요소이듯이 유방암 수술 뒤에도 이런 균형 잡힌 생활 습관이 필요하다. 음식은 특별히 가릴 것 없이 골고루 적당량을 섭취하는 것이 좋다. 암에는 식물성 콩 단백이 좋다고 알려져 있으니 콩에 있는 식물성 에스트로겐을 섭취하면 유방암의 촉진 인자인 체내 에스트로겐이 길항적으로 억제되어 유방암의 위험 인자가 그만큼 영향력을

읽는다. 그래서 유방암 수술 뒤에는 대두를 넣은 콩밥과 두부를 섭취하도록 한다.

Q 유방을 절제한 뒤에는 유방 재건 수술은 어떤 방법으로 하며, 유두도 만드는가?

A 유방 재건술에는 실리콘 백과 조직 확장기를 이용하여 인공 삽입물을 사용하는 방법, 환자 몸의 조직을 이용하여 유방을 재건하는 방법 등이 있다. 각각 장단점이 있으므로 유방의 크기, 남아 있는 피부 상태, 동반 질환 등을 함께 판단하여 가장 적합한 방법으로 시행한다. 유두의 재건은 두 개 혹은 세 개의 엽으로 이루어진 자기 조직을 이식하여 콘 모양으로 재건하며, 문신술을 이용해 색을 입힌다. 유두 재건은 유방 재건술과 동시에 이루어지기도 하나 좋은 대칭성을 얻기 위해 재건된 유방의 모양이 확립된 이후에 시행하는 것이 좋다.

Q 유방에 통증이 있으면 유방암일까?

A 생리 주기의 후기 황체기에 유방이 팽창하면서 흔히 유방에 통증이 온다. 유방통을 가진 여성과 유방통이 없는 여성을 대상으로 유방 조직 검사를 시행한 연구에서 두 군 간에 특별한 차이는 없었다. 그러나 유방암 환자를 대상으로 한 일부

의 후향적 연구에서는 주기적으로 유방 통증이 있는 환자들이 2.12배의 유방암 위험도가 있다는 보고가 있었다. 그러나 이는 조사 대상이 된 유방암 환자들이 기억 편견이 작용했거나, 유방 통증이 있는 환자들이 다른 환자들에 비해 더욱 자주 유방 검사를 받게 되기 때문일 가능성이 높다. 단지 유방 통증이 있다는 사실만으로는 유방암에 걸릴 위험도가 높지는 않으나, 유방 통증이 있을 때는 유방 검사를 통해 이상 여부를 확인하는 것이 좋다.